AUTHENTIC GAMES
A BATALHA CONTRA ENDER DRAGON

astral
cultural

© 2017 Editora Alto Astral
Fica proibida a reprodução parcial ou total de qualquer texto ou imagem deste produto sem autorização prévia dos responsáveis pela publicação.

Ilustrações: Thiago Ossostortos
Fotos de Estúdio: Amós Rodrigues
Projeto Gráfico e Diagramação do Miolo: Aline Santos

Dados Internacionais de Catalogação na Publicação (CIP)
Angélica Ilacqua CRB-8/7057

T83a
    Túlio, Marco
        AuthenticGames: A Batalha Contra Ender Dragon / Marco Túlio. – Bauru-SP : Astral Cultural, 2019.
        112 p.

    ISBN: 978-85-8246-955-2
    1. Literatura infantojuvenil 2. Minecraft (Jogo) I. Título

19-0974   CDD 028.5

Índice para catálogo sistemático:
1. Literatura infantojuvenil

Segunda reimpressão
Impressão: LIS
Papel de Miolo: BookCream 70g

ASTRAL CULTURAL EDITORA LTDA.

BAURU
Av. Duque de Caxias, 11-70
CEP 17012-151
Telefone: (14) 3235-3878
Fax: (14) 3235-3879

SÃO PAULO
Rua Major Quedinho 11, 1910
Centro Histórico
CEP 01150-030
Telefone: (11) 3048-2900

E-mail: contato@astralcultural.com.br

AUTHENTICGAMES: A BATALHA CONTRA ENDER DRAGON

E AÍ, MANINHOS!

No segundo livro da trilogia **AuthenticGames**, *A Batalha contra Herobrine*, você, na pele do aventureiro Builder, esteve ao meu lado e da Nina duelando com muitos mobs para conseguirmos recuperar a minha espada de diamante que Herobrine havia levado para o Nether. Mas, até chegarmos lá, tivemos que enfrentar diversos desafios. Você se lembra dos creepers que encontramos no caminho? Se não fosse o gatinho do Jorge, acho que a gente estaria até agora lá. Sem falar nos diversos guardiões que estavam no mar, no caminho para a ilha onde ficava o portal para a outra dimensão.

AUTHENTICGAMES

Quando chegamos ao Nether, Herobrine usou todos os seus truques para tentar nos vencer, desde um túnel cheio de armadilhas até batalhas que só existiram dentro de nossas mentes. Loucura, não? Mas com muito trabalho em equipe nós conseguimos derrotá-lo. No fim, ainda tivemos que acabar com vários esqueletos e o Rei Caveira para só então podermos construir o portal para o The End, onde o terrível dragão se esconde. Ufa! Foram muitos desafios, maninhos!

Neste último livro da trilogia, o objetivo agora é acabar com o Ender Dragon e salvar o mundo da superfície das ameaças dos mobs. E aí? Está preparado para mais uma jornada cheia de emoção e aventura?

Então, vamos lá!

Vai começar mais uma aventura de **AuthenticGames**.

#EUSOUOBUILDER

QUEM AÍ SE LEMBRA QUE EU HAVIA PEDIDO LÁ NO MEU CANAL para que vocês me mandassem os desenhos que fizeram do Builder? Eu disse que um deles iria virar personagem do último livro da trilogia **AuthenticGames**. Maninhos, a gente recebeu muitos desenhos irados, um mais legal do que o outro. Foi muito difícil para eu decidir o vencedor. O mais legal é que teve vários tipos de Builder: meninos, meninas e até bichinhos de estimação. Curti ver a criatividade de vocês, maninhos!

Mas, depois de ver desenho por desenho, escolhi o do Rafael Antunes Maia, o **@rafajogos2014**. Ele caprichou no desenho e nas cores, o visual do Builder ficou muito diferente.

E você, ficou curioso para saber como ficou o desenho dele? É só virar a página!

MUITO OBRIGADO A TODO MUNDO QUE MANDOU O DESENHO! VOCÊS SÃO SENSACIONAIS!

1

ATRAVÉS DO ESPELHO

AUTHENTIC, NINA E BUILDER ENCARAVAM ANIMADOS O portal recém-criado para o The End. Logo eles estariam enfrentando o Ender Dragon em uma nova aventura para proteger o mundo da superfície.

— A gente vai acabar com aquele dragão malvado e com todos os mobs que estiverem com ele — Nina falou, empolgada, simulando socos e chutes no ar.

— Calma aí, maninha. O The End é um lugar perigoso, assim como todos os mobs que vivem lá. A gente precisa ter cuidado. — Authentic tentou acalmar a agitação da garota.

Naquele momento, uma luz estranha brilhou sobre o portal. A aparência de "vidro líquido" da substância escura que preencheu o buraco no chão dava um ar assustador e esquisito à construção de pedras e ainda deixava o clima mais pesado. Parecia um aviso de que nada de bom poderia acontecer com quem se atrevesse a entrar ali.

> MANINHO, VOCÊ ESTÁ PRONTO PARA ENCARAR MAIS UMA AVENTURA AO LADO DE AUTHENTIC E NINA?

— Que esquisito! Isso parece um espelho estranho e molhado! – disse Nina, com um olhar curioso.

— Parece mesmo, maninha... é o verdadeiro espelho d'água. Um espelho d'água escuro e assustador – brincou Authentic, sem tirar os olhos do portal. Ele não parecia estar com medo do que iria enfrentar. Aquele era apenas mais um dia esquisito na rotina de um herói. Já Builder, um tanto quanto calado, reunia coragem para o que viria a seguir. Após um longo silêncio, resolveu tirar uma dúvida com o seu amigo.

— Authentic... Como é o The End?

— Olha, maninho... não é um lugar muito legal, não. Nem tem muito o que se ver por lá, já que é um pedaço de terra flutuando no meio do nada, cheio de endermen – Authentic explicou aos amigos com paciência.

Nina e Builder olhavam espantados para Authentic, tentando imaginar aquele lugar que o herói descrevia.

— E esses endermen são perigosos, Authentic? – Nina perguntou, disfarçando a preocupação.

— Muito. Se eles notarem você, é melhor correr. Eles são fortes e ainda podem se teletransportar – Builder respondeu.

– Mas eles só atacam quando se sentem ameaçados, Nina. Por isso, nunca olhe diretamente para os olhos deles, ok? Eles consideram isso um ataque. – Authentic se importava muito com seus amigos. Fosse com dicas de defesa ou com sua espada, fazia sempre o possível para protegê-los. – Além dos endermen e do Ender Dragon, claro, tem ainda os pilares gigantes que ficam no The End... – Authentic continuou.

– E pra que servem esses pilares? – Builder olhava para o amigo, coçando o queixo.

– Ah, eles são fontes de energia para o Ender Dragon. Os pilares contêm cristais que recarregam as forças do dragão e o deixam quase invencível. – Authentic andava de um lado para outro enquanto falava.

– Isso está ficando cada vez melhor – Builder emendou.

– Ei, pessoal, eu não faço as regras! – Authentic riu alto.

– Já que o lugar é tão estranho e perigoso assim, é melhor nos prepararmos bem – Builder respondeu.

– Você está certo, maninho. Vamos então conferir se está tudo certinho com as nossas coisas para irmos de uma vez?

– Siiiim, capitão! – responderam os outros dois ao mesmo tempo. Nada tirava a empolgação de Nina e Builder.

Os amigos sentaram no chão e começaram a verificar as mochilas para ver se todos os equipamentos estavam em dia. Para Builder e Nina, parecia estar tudo em ordem, até que perceberam que Authentic parecia incomodado. Pelo jeito, o herói não conseguia encontrar algo importante entre suas coisas, o que começou a deixá-lo preocupado.

AUTHENTIC NÃO ESTÁ ENCONTRANDO UM IMPORTANTE ITEM PARA ENCARAR A AVENTURA. VOCÊ CONSEGUE ADIVINHAR QUAL É?

Tire uma foto da página e publique sua resposta com a hashtag #ABatalhaContraEnderDragon

— Achei minha espada! — O herói respirou aliviado.

Builder e Authentic já estavam com as mochilas nas costas, sentados na borda do portal, observando Nina revirar sua mochila e jogar tudo o que estava dentro dela no chão.

— Aaaaai, cadê? Cadê?! — Nina parecia bastante nervosa.

— O que você está procurando, Nina? — perguntou Builder.

— Não estou achando meu amuleto da sorte...

— Quer ajuda? — Authentic respondeu.

— Ah, não precisa, mas obrigada! Acho que... estou quase... no fim... da mochila... Ahááá!

— Achou?! — os dois meninos disseram juntos, olhando para Nina, curiosos.

– Sim! Vivaaaa! Eu não iria para uma aventura sem isso. – Nina pulava, enquanto erguia seu amuleto da sorte: uma colher de pau, provavelmente da padaria de seu pai.

> MANINHO, VOCÊ TAMBÉM TEM ALGUM AMULETO DA SORTE? CONTE PARA MIM NA HASHTAG #ABATALHACONTRAENDERDRAGON

Authentic e Builder se olharam e caíram na gargalhada, sem conseguirem se controlar.

– Já podem parar de rir, hein! – Nina disse, quase acompanhando os dois na risada, mas se concentrando para demonstrar que estava brava.

A garota sabia que era engraçado, mas ela usava aquela colher de pau desde que era bem pequena, quando começou a ajudar seu pai nas tarefas diárias da padaria. Quando decidiu ir atrás de Builder no resgate de Authentic, aquela era a única coisa que a fazia se lembrar de casa. E conforme passava pelos vários perigos enfrentados naquela jornada e depois na aventura pelo Nether, Nina acabou dando ainda mais importância ao pedacinho do seu lar que carregava.

– Muito bem – começou Authentic, esfregando as mãos –, espadas, coragem, colheres de pau... Já está tudo pronto para zarpar?! Podemos ir?

Antes que eles pudessem responder, Authentic viu uma carta presa na borda do portal. Abriu o papel e percebeu que se tratava de um enigma, desses bem difíceis de responder.

– Nossa, que carta mais assustadora! Quem será que mandou? – Builder disse.

A BATALHA CONTRA ENDER DRAGON

Vocês vão encontrar grandes desafios no The End. O exército de endermen e o Ender Dragon são só alguns deles. Preparem-se para lutar com vários mobs. Espero que tenham trazido uma armadura bem forte, muitas flechas, machado e picareta. Vocês vão precisar! E cuidado: estou sempre de olho em vocês.

— Não sei, maninho, mas sinto que logo iremos descobrir.

Nina e Builder se olhavam preocupados.

— Alguém quer desistir? — o herói perguntou.

Os dois amigos nem precisaram responder. Pularam no portal na frente do herói.

2

SURPRESAS PERIGOSAS

O MUNDO GIRAVA E GIRAVA SEM PARAR.

A viagem era muito rápida. Authentic havia comentado que levariam menos de um segundo para atravessarem o portal. Mas, para Builder, ela pareceu ter durado uma eternidade (e mais um pouco!). Vários blocos, árvores e montanhas pareciam girar em uma velocidade absurda ao seu redor, como se todo o mundo estivesse dentro de um grande liquidificador, quase se misturando em uma coisa só. Para piorar a situação do aventureiro, o espaço entre os objetos que flutuavam ficava mudando o tempo todo de cor, indo do verde para o azul e depois para o roxo, passando por um amarelo enjoativo que quase fez Builder colocar o lanche pára fora.

Toda aquela loucura formava uma espécie de túnel que parecia um grande funil, e Builder tinha a sensação de estar caindo para sempre no vazio, em direção a um minúsculo ponto de luz que iluminava o chão. Após alguns segundos – que pareceram durar uma eternidade – aquele pontinho de luz que marcava o fim do funil veio voando para cima deles, engolindo os três amigos. Authentic, Nina e Builder se viram em uma grande sala subterrânea, que não parecia em nada com o The End que Authentic havia descrito.

– Ué... tudo que eu já tinha visto sobre esse lugar indicava que nós apareceríamos direto na superfície do The End! – comentou Authentic, espantado com o que estava vendo.

– Acho que isso é até melhor pra gente. Assim, não precisamos dar de cara com o Ender Dragon – disse Builder.

– Sei não, maninho. Isso aqui está bem estranho. Não tem nada a ver com o The End – falou Authentic, observando tudo ao seu redor atenciosamente, desconfiado.

– Também não estou gostando disso – disse Nina.

O lugar não tinha qualquer marcação; era pura rocha lisa, com pedras enormes que refletiam uma luz intensa. Uma única saída podia ser vista na parede do lado oposto. Builder notou que não havia sinal do portal em lugar algum – ele realmente servia como passagem só de ida. Logo a ideia de ficarem presos lá para sempre deixou o aventureiro preocupado, mas não o suficiente para desistir da missão.

Os amigos passaram pela abertura na câmara e se depararam com uma gigantesca sala, totalmente forrada por muitos pequenos espelhos, inclusive no chão e no teto, fazendo com que se formassem centenas de imagens refletidas dos amigos.

– Isso definitivamente não é o que eu esperava do The End – Builder comentou, com um tom de receio na voz.

– E não é mesmo. Isso está ficando cada vez mais suspeito. Fiquem atentos, maninhos! – Authentic completou.

Foi então que, próximo ao teto, do outro lado da sala, na única parede formada por um só espelho, eles repararam numa mensagem estranha que estava escrita ali.

TENTE DECIFRAR A MENSAGEM E DESCUBRA QUAL PERIGO ESTÁ POR VIR!

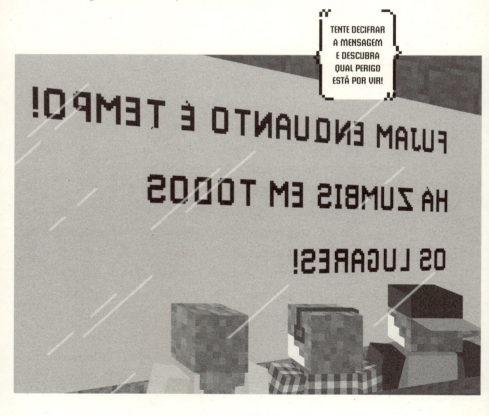

– O que está escrito no espelho? – Nina olhava curiosa para o texto, que até então não fazia sentido algum para eles.

– Deve estar escrito em outra língua – Builder respondeu, um pouco desapontado. – Não dá para entender nada!

– Se for outra língua, eu nunca vi. – Authentic conhecia vários idiomas, mesmo alguns bem antigos e, mesmo assim, não conseguia traduzir a mensagem.

Depois de ficarem analisando o texto por algum tempo, Builder reparou em algo, e começou a encontrar algum sentido naquilo.

– Gente, e se isso não for exatamente uma outra língua, mas apenas um jeito diferente de se escrever a nossa? – Builder perguntou.

– É claro, maninho. Você é um gênio!!! Como não pensei nisto antes... A mensagem está invertida! Afinal, isso aqui é uma caixa de espelhos! – comemorou Authentic.

> QUER SABER O QUE ESTÁ ESCRITO NA MENSAGEM? COLOQUE A PÁGINA DO SEU LIVRO EM FRENTE A UM ESPELHO E DESCUBRA.

– Fujam enquanto é tempo! Há zumbis em todos os lugares! – Nina leu baixinho e bem devagar, enquanto tentava inverter as palavras mentalmente.

– Zumbi? Não estou vendo nenhum zum... – Não deu nem tempo de Builder terminar a frase. No mesmo instante, os três amigos avistaram vários zumbis entrando por uma abertura do outro lado da sala. Eles pareciam não notar a presença dos heróis da Vila Farmer, pois andavam lentamente de um lado para o outro sem avançar na direção deles.

— Que coisa mais doida! – comentou Nina, de queixo caído. – O que esses zumbis estão fazendo aqui??? Isso aqui é o The End!!! Não era pra ter zumbi aqui, certo?

— Não faço ideia, maninha. A boa notícia é que eles ainda não viram a gente – Authentic falou, em um tom de voz mais baixo, tentando não chamar a atenção dos mobs. – A má é que precisaremos atravessar aquela abertura para conseguir sair daqui. E, para isso, vamos ter que passar por eles.

— Então o que estamos esperando? Vamos lá!!! – Nina gritou, fazendo com que os zumbis despertassem e começassem a caminhar na direção dos amigos. Pela abertura, mais e mais zumbis apareciam sem parar, todos fazendo um barulho muito alto, como se estivessem rosnando.

— Da próxima vez você grita mais baixo, Nina. – Builder riu, enquanto sacava a espada da mochila e ajeitava a armadura, preparando-se para o combate com os mobs.

— Toma essa! – gritou Authentic, tomando a frente na batalha e derrubando um dos zumbis com um só golpe.

Builder e Nina saíram em disparada para ajudar o herói. Os dois começaram a golpear os zumbis sem parar.

— Vocês vão descobrir que não podem vencer o mundo da superfície! – Nina repetia a cada mob que derrubava.

Os amigos golpeavam os zumbis sem parar, que caíam no chão, amontoados. Authentic conseguia derrubar vários zumbis de uma vez com sua espada de diamante, e Nina e Builder não ficavam atrás: disparavam flechas e golpes para todas as direções. Os movimentos pareciam ensaiados. Dava para perceber que tanto Builder quanto Nina tinham evoluído muito na arte da batalha.

– Estamos indo bem, quase acabando! – Builder avisou, fazendo malabarismo com sua espada e arco.

– Olhe melhor, Builder, tem mais zumbis surgindo do nada – Authentic falou.

Mesmo sendo muitos mobs, os aventureiros foram derrubando um a um, e parecia que Authentic, Nina e Builder iam levar a melhor nessa batalha.

– Só mais um golpe... Ahhh! – Nina acertou uma flecha bem no meio da testa de um zumbi.

Mas, antes que pudessem comemorar mais uma vitória, um zumbi gigante atravessou a abertura da parede espelhada e urrou tão forte e tão alto que alguns dos espelhos quebraram em mil pedacinhos. Os amigos se olhavam sem conseguir acreditar no que estavam vendo – nem mesmo Authentic já tinha visto um mob daquele tamanho.

– Achei que zumbis gigantes eram apenas uma lenda – o herói falou.

– Pra mim ele parece bem real – Nina emendou.

– O que faremos? Como vamos derrotá-lo? – Agora era a vez de Builder mostrar o quanto estava nervoso.

– Eu tenho um plano! – Nina gritou.

Àquela altura, Authentic e Builder sabiam que valia a pena seguir os planos malucos que a Nina inventava. Afinal, todos tinham dado certo, pelo menos até aquele momento. Então, Nina tirou de sua mochila três bombas.

A menina aproveitou o jogo de reflexo dos espelhos para confundir o mob gigante – ela sabia que os zumbis não eram famosos pela sua inteligência. Com uma fita, ela amarrou as três bombas e as lançou com o seu arco. Authentic e Builder estavam a postos, esperando o movimento da garota para poder agir no momento certo. As bombas acertaram o ombro direito do bicho, fazendo com que ele despencasse no chão.

– Ele ainda não foi derrotado – Authentic gritou. Foi a deixa para que ele e Builder se lançassem em cima do zumbi e, juntos, acabassem com o monstro com um golpe duplo.

Mesmo exaustos da batalha, os heróis da Vila Farmer continuaram a jornada. Tomando cuidado para não se cortarem nos cacos de espelho que forravam o chão, eles caminharam em direção à abertura. Do outro lado, encontraram uma grande sala, quase parecida com a que tinham chegado após passarem pelo portal, mas com uma diferença: havia duas passagens nas paredes e, no centro da câmara, um pilar de pedra cercado de bruxas e evokers, que estavam em um grande círculo e pareciam praticar uma espécie de cerimônia ou ritual. O pilar brilhava levemente de vermelho, dando uma aparência ainda mais estranha à cena.

Fazendo com as mãos um sinal para que os amigos ficassem quietos, Authentic começou a caminhar em direção ao pilar e percebeu que os mobs recitavam algo repetidamente, como se fosse uma música.

Prrrruuuuprrraaaaanaaaliiiimaaaaaaatsuaaaaoooooo...
Prrrruuuuprrraaaaanaaaliiiimaaaaaaatsuaaaaoooooo...

Builder ficou tão envolvido com a música que elas cantavam que parou de prestar atenção no caminho e acabou chutando uma pequena pedra. No vazio do lugar, o som da pedra rolando se multiplicou em milhares de ecos, o que criou um forte barulho, quebrando a concentração dos mobs. Imediatamente, as bruxas se voltaram para os invasores, que permaneceram congelados com o susto.

– Lascou, pessoal! – gritou Authentic, quebrando o silêncio e já puxando sua espada. – Cuidado com as bruxas, elas jogam poções venenosas!

– Eu cuido delas! – disse Nina, pegando seu arco.

– Eu e Builder vamos acabar com os evokers! – Authentic completou, pulando para cima dos mobs em um movimento muito rápido.

Builder também sacou sua espada e partiu para cima do evoker mais próximo, mesmo sem entender porque eles deveriam ser sua prioridade. Eles pareciam pessoas normais, até bem frágeis se você olhasse rapidamente. Mas, a poucos passos do seu alvo, que fazia movimentos esquisitos com as mãos, Builder entendeu: vários vex surgiram, flutuando, com sua capa rasgada, tentando acertar o aventureiro. No chão, brotavam presas gigantes que ameaçavam "abocanhar" os pés dos amigos. Builder rolou para o lado bem na hora, evitando o ataque e já levantando o escudo para aparar o golpe que o monstro havia preparado.

Num relance, Builder pôde ver Nina derrubando as bruxas com suas flechas a uma distância segura do ataque de suas

A BATALHA CONTRA ENDER DRAGON

poções. Builder sabia que essas poções podiam paralisar, envenenar ou até deixar alguém mais lento e, por isso, se preocupava com a amiga. Enquanto isso, Authentic, em meio aos evokers, atacava-os com golpes poderosos. Eles invocavam dezenas de vex a todo instante, que disparavam em direção ao herói.

— Builder, cuidado! — Authentic gritou, já puxando o amigo pela alça da mochila. Só então o aventureiro percebeu que uma presa estava quase o devorando.

Passado o susto, Builder se virou para o evoker que o havia atacado e, de repente, viu-se rodeado por vários daqueles monstros flutuantes vindo em sua direção, cercando-o por todos os lados. Um deles evaporou com uma flechada de Nina, que veio ajudar o amigo após vencer todas as bruxas. Mas outro já ocupava o seu lugar logo em seguida, ameaçando o aventureiro. Builder atacava sem parar o mob e, ao virar o corpo, quando desviava de um golpe, percebeu que Authentic também estava cercado pelos mesmos monstros. Authentic segurou a espada com as duas mãos e pulou, girando o corpo e acertando vários mobs com um único movimento.

Builder copiou a estratégia do herói, enquanto Nina se aproximava dos dois usando suas bombas para acertar os evokers mais distantes, acabando com a possibilidade de mais mobs atrapalharem os amigos. Demorou alguns segundos até que os três percebessem que todos os monstros tinham sido destruídos e que eles tinham escapado — por pouco — de mais uma batalha.

– Ufa! Foi uma bela luta, maninhos! – disse Authentic, feliz da vida.

– Você foi incrível, Authentic! – Nina emendou, batendo palmas para o amigo.

– É verdade. Nunca vi alguém lutar assim! – completou Builder, ainda agitado com a batalha.

– Ah, não foi nada, maninhos... é só se lembrar de usar a imaginação e a criatividade para conseguir se livrar desses monstros! – brincou Authentic. – Mas esse foi só um bom aquecimento para tudo o que ainda pode acontecer daqui pra frente. É bom estarmos preparados.

– Aquecimento? Não quero nem ver quando a luta for de verdade então! – Builder brincou.

– Pois eu estou louca para ver – disse Nina em meio a um sorriso, dando uma piscada para os amigos.

– Mas e agora? Para que lado vamos? – perguntou Authentic, enquanto olhava para a parede em sua frente.

– Tem dois caminhos: um pela direita e outro pela esquerda. Qual será o certo? – Builder parecia preocupado com os desafios que os esperavam.

– Não podemos ficar aqui esperando, então é melhor decidir pra que lado vamos, Authentic – disse Nina.

– Até agora o Builder tem sempre acertado nas escolhas dos caminhos que temos feito ao longo dessa jornada. Acho justo que ele continue decidindo. – Authentic colocou a mão no ombro direito do amigo, esperando para ver a sua reação. – E então? Por onde?

3A

INVASÃO ZUMBI

— ACHO MELHOR IRMOS PELA DIREITA — DISSE BUILDER. — Tive a impressão de que os mobs estavam protegendo mais aquele lado.

— Beleza, Builder! Vamos lá! — concordou Authentic.

Os três cruzaram a abertura, deparando-se com um grande salão, onde só existiam paredes e pequenas entradas. Isso incomodou os amigos, pois o lugar lembrava um labirinto.

— Já vi isso antes e não estou gostando. — Apesar de não demonstrar, Nina trazia lembranças ruins do labirinto assustador que eles atravessaram no Nether.

— Não se preocupe, maninha. A gente atravessa do mesmo jeito que fizemos da outra vez, quebrando as paredes — disse

A BATALHA CONTRA ENDER DRAGON

Authentic, depois que ele e Builder já tinham tirado a picareta de dentro da mochila.

Contudo, logo no primeiro golpe, a picareta de Builder quebrou em dezenas de pedacinhos.

– Não entendi. O que aconteceu? – Nina perguntou.

– Esse labirinto deve ser feito de pedra matriz. Ela é inquebrável! – Authentic explicou. – Isso não faz sentido. Não é para ter esse tipo de pedra no The End. – Authentic andava de um lado para outro tentando entender aquela situação.

– Também não é para ter zumbis, bruxas e evokers, né? – Builder brincou, disfarçando um pouco o nervosismo.

– O jeito é tentar atravessar na sorte – disse Nina, disparando na frente sem esperar pelos amigos.

Os três começaram o desafio animados, afinal, já haviam passado por situações mais complicadas. Mas, aos poucos, a empolgação foi dando lugar ao cansaço. A cada virada à direita ou à esquerda que os levava para uma sala sem saída, o desânimo tomava conta dos heróis da Vila Farmer.

– Aiaiaiai... será que falta muito? – perguntou Nina

– Não sei, maninha... mas vamos em frente! Uma hora vamos chegar a algum lugar! – respondeu Authentic, tentando manter o otimismo para não desanimar os outros.

E então eles andaram.

E andaram.

E andaram mais um pouco...

– Cuidado, Builder. – Nina o puxou pelo braço com tanta força que fez o aventureiro dar um pulo. – Tem um buraco gigantesco à sua frente. – O buraco parecia não ter fim. Mesmo as tochas não podiam iluminar o fundo daquele poço.

– Obrigado, Nina. Você salvou a minha pele.

– De nada. Perdi as contas de quantas vezes você já me tirou de enrascadas. – Ela soltou uma gargalhada bem alta. – Mas como vamos atravessar? – continuou, dessa vez com uma aparência mais séria.

– A gente pode voltar! – Builder sugeriu.

– Não podemos. Para lá é uma parede sem saída. Vamos usar o velho truque da picareta amarrada na corda. A gente joga a picareta presa à corda do outro lado e atravessa – Authentic sugeriu aos amigos.

Eles passaram e continuaram caminhando durante muitas horas. O pior de tudo era a ação repetitiva, que cansava mais que o esforço de continuar avançando no labirinto.

De repente, uma voz familiar e assustadora preencheu todo aquele labirinto, fazendo com que Builder tivesse um forte calafrio. Ele não conseguia acreditar no que estava ouvindo.

– *Espero que vocês gostem de labirintos... Ainda vão ficar aí por um bom tempo...* – disse Herobrine, com sua voz horripilante, tentando provocar os heróis da Vila Farmer.

– O seu costume de fazer a sua voz entrar na cabeça dos outros é bem chato, sabia? – retrucou Nina, irritada.

– Ah, esse é o menor dos seus problemas, garota – disse o vilão, enquanto dava uma risada debochada. – *Se depender de mim, vocês andarão no meu labirinto até seus joelhos ficarem velhos demais para se dobrarem!*

A BATALHA CONTRA ENDER DRAGON

— Hmpf... Eu sabia que isso aqui tinha a ver com você! Esse The End estava muito esquisito mesmo. É claro que só poderia ser obra sua — Authentic disse.

— *Vocês estão no meu mundo agora. Sou eu que decido para onde vocês vão!*

— Você não desiste, não é mesmo? Isso já está ficando chato! Quantas vezes eu e meus amigos vamos ter que te dar uma surra até que você desista? — Authentic respondeu.

— *Você nunca vai me derrotar completamente, Authentic! Nunca!* — Nada parecia abalar o humor do vilão.

— É o que veremos. Vamos sair daqui e dar um jeito em você de vez. Chega de pegar leve! — gritou Builder.

— *Que piada!!!* — O vilão ria cada vez mais alto. Ele parecia muito confiante diante da situação dos heróis. — *Ender Dragon e eu vamos dominar a superfície de uma vez por todas.*

— Pois nós vamos pegar vocês dois, não importa o quanto demore! — Builder completou.

— *Veremos, Builder... veremos. Curta o passeio, ele vai ser muuuuito looooooongo... Hahahahaha!*

Authentic observava os amigos, sentindo-se bastante orgulhoso. O herói sabia que não importava o tamanho do desafio que estava por vir, eles conseguiriam superá-lo usando muita coragem e união.

— Não acredito que esse monstro chato está por trás disso. Ele não nos deixa em paz! — Nina comentou.

— Precisamos encontrar um jeito de sair daqui — disse Authentic, pensativo.

– E pelo visto não vai ser andando, já que Herobrine prometeu que ficaríamos aqui, entrando e saindo de becos, para sempre – Builder disse.

– Se a gente pudesse ver o labirinto do alto, conseguiríamos encontrar a saída rapidinho – Nina comentou.

– Você tem razão, maninha. É isso que precisamos fazer.

– Mas como? – A garota parecia confusa.

Authentic encarava as paredes gigantescas do labirinto, parecia que procurava por algo escondido.

– Olhem ali! Aquela parede tem uma ponta bem fina. Se a gente conseguir prender a corda ali, podemos escalar.

– Pode deixar comigo – Builder respondeu, tirando da mochila um longo pedaço de corda e amarrando uma de suas pontas em uma flecha de diamante. Com um giro de punho, ele jogou a flecha presa na corda em direção ao topo e, em um golpe de sorte, conseguiu fazer com que ela desse uma volta em torno da parede pontuda e se prendesse.

– Pronto! Eu vou subir! – Builder disse.

– Nós vamos te dar cobertura, maninho. Se alguém aparecer, a gente acaba com ele – Authentic falou ao aventureiro, sacando novamente a espada. Ele ficou a postos, em posição de combate, protegendo o amigo que escalava o muro o mais rápido que conseguia.

Ao chegar ao topo do paredão, Builder passou a perna para o outro lado, conseguindo ficar em pé sobre a construção. Do ponto em que estava, era possível avistar todo o labirinto. Agora ele sabia o caminho para sair de lá.

– Pessoal, tenho uma boa e uma má notícia. – Builder parecia um pouco nervoso.

– Diz a boa, maninho.

– A boa notícia é que eu consegui ver para onde devemos ir. E não está tão longe.

– Que bom! Isso sim é uma boa notícia! – Nina disse. – Mas vamos lá... E qual é a ruim?

– A ruim é que tem um monte de zumbis no caminho. Inclusive, tem um monte vindo para...

Antes mesmo de Builder terminar a frase, Authentic ergueu a espada e, com um rápido movimento, derrubou dois zumbis que vinham na direção dos amigos. Da mesma passagem que os dois monstros surgiram, mais um monte de zumbis apareciam sem parar, um atrás do outro, prontos para a batalha. Nina e Authentic derrubavam um a um, enquanto Builder descia pela corda o mais rápido que conseguia.

Após todos os zumbis serem derrotados, os amigos voltaram a caminhar. Com o caminho memorizado em sua cabeça, Builder tomou a frente no trajeto, mas Authentic vinha ao seu lado, servindo quase como um escudo do amigo.

– Direita – ele disse ao avistar uma bifurcação.

– Mais monstros! – Nina gritou, já acertando uma flecha em um zumbi que surgiu de uma das entradas. Authentic e Builder ficavam impressionados em como a menina não errava movimento algum. Ela realmente tinha uma ótima pontaria.

Authentic saltou de trás de Builder e acertou um dos mobs que estava prestes a golpear o amigo.

A BATALHA CONTRA ENDER DRAGON

O herói foi tão rápido em seu movimento que Builder não conseguia acreditar que alguém pudesse lutar daquela forma. Com tanta esperteza e agilidade, não à toa Authentic era o herói de toda a Vila Farmer e estava prestes a se tornar o grande herói de todo o mundo da superfície.

> MANINHO, EU SOU BOM COM A ESPADA, MAS TENHO CERTEZA DE QUE VOCÊ É MUITO BOM EM ALGUMA COISA. PODE SER EM PINTAR, JOGAR MINECRAFT OU CANTAR. QUE TAL CONTAR PARA MIM UM POQUINHO DE VOCÊ? É SÓ COMPARTILHAR COM A HASHTAG #ABATALHACONTRAENDERDRAGON

– Para a esquerda – continuou Builder. E então os amigos foram caminhando conforme as coordenadas do aventureiro até avistarem uma gigantesca porta.

– Esse é o fim da linha, pessoal – Builder falou.

– Seja lá o que estiver do outro lado dessa porta, não pode ser coisa boa. Conhecemos Herobrine bem o suficiente para saber disso. Preparados? – perguntou Authentic, segurando a maçaneta numa mão e a espada na outra.

Builder e Nina concordaram com a cabeça, segurando firmemente suas armas. Authentic então, cuidadosamente, girou a maçaneta e abriu a porta.

PORTA A PORTA

— ALGO ME DIZ PARA IRMOS PELA ESQUERDA. — DISSE Builder, com a convicção nata de um líder.

— Confio na sua intuição, Builder — afirmou Authentic, já seguindo os passos do amigo.

Os amigos cruzaram a abertura, deparando-se com um grande salão feito de pedras, com três pequenas entradas. Estavam fechadas por portas, e, acima delas, havia uma mensagem escrita no paredão: *Ao escolher uma porta, as demais se fecham para sempre.*

Teriam que escolher o caminho aleatoriamente, já que não havia qualquer tipo de marcação ou pista que pudesse identificar qual delas levaria os amigos para fora daquele lugar.

A BATALHA CONTRA ENDER DRAGON

— O jeito é tentar atravessar na sorte — Nina disse, abrindo uma das portas e disparando na frente.

Os amigos seguiram a menina e entraram em uma pequena sala, bem parecida com a que estavam. Dentro dela, novamente encontraram três portas, todas iguais. Dessa vez, foi Builder quem decidiu qual delas iriam atravessar.

— Vamos pela direita. Estou com um bom pressentimento...

— Mais uma vez, uma nova sala e novas portas.

Os três, que tinham começado o desafio animados, começavam a mostrar sinais de cansaço. A cada porta que abriam e que os levava a uma nova sala com mais três portas, o desânimo tomava conta dos heróis da Vila Farmer.

— Aiaiaiai... será que falta muito? — perguntou Nina

— Não sei, maninha... mas vamos em frente! Uma hora vamos chegar a algum lugar! — respondeu Authentic, tentando manter o otimismo.

E então eles andaram.

E andaram.

E andaram mais um pouco.

— Não estou gostando disso — Builder afirmou.

— Parece que estamos andando em círculos e voltando sempre para o mesmo lugar — disse Nina, decepcionada.

De repente, uma voz familiar e assustadora preencheu toda aquela sala, fazendo com que Builder tivesse um forte calafrio. Ele não conseguia acreditar no que estava ouvindo.

— *Vocês parecem cansados, seus heróis de meia tigela. Acho bom desistirem enquanto podem!* — disse Herobrine.

— Eu sabia que esse lugar sem graça só poderia ser obra sua! – falou Nina, tentando provocar o vilão. – Só você poderia inventar algo tão chato!

– *Chato??? Eu estou me divertindo muito vendo vocês abrirem e fecharem porta atrás de porta, sem chegar a lugar algum* – retrucou o vilão, rebatendo as provocações de Nina.

– É claro que você estava por trás disso! Esse The End estava muito esquisito mesmo – Authentic disse.

– *Vocês estão no meu mundo agora. Sou eu que decido para onde vocês vão. E se depender de mim, vocês ficarão aí para sempre!* – Herobrine falava de forma muito confiante. Mesmo assim, os amigos não se deixaram abalar.

– De jeito nenhum! Meus amigos e eu vamos derrotá-lo quantas vezes for preciso até que você pare de atormentar o mundo da superfície – Authentic respondeu, olhando para todas as direções, sem saber de onde realmente vinha a voz.

– *Você nunca me derrotou de verdade e nunca vai derrotar, Authentic! Nunca!* – respondeu o vilão.

– Você que pensa! Da próxima vez, nós não seremos tão bonzinhos. Você vai cair, Herobrine! – gritou Builder.

– *Hahahaha!* – O vilão gargalhava e o som da risada parecia sair de todos os lugares. – *Ender Dragon e eu vamos dominar a superfície de uma vez por todas!*

– Pois nós vamos pegar vocês dois, não importa o quanto isso vai demorar! – Builder completou.

– *Veremos, Builder... veremos. Curta o passeio, ele vai ser muuuuito loooooongo...Hahahahaha!*

A BATALHA CONTRA ENDER DRAGON

Authentic observava os amigos, orgulhoso. Eles haviam evoluído muito depois de tudo que passaram. O herói sabia que não importava o tamanho do desafio que estava por vir, eles conseguiriam superá-lo com muita coragem e união.

– Não acredito que esse monstro chato está por trás disso. Ele não nos deixa em paz! – Nina comentou.

– Precisamos encontrar um jeito de sair daqui – disse Authentic, pensativo.

– E pelo visto não vai ser andando, já que Herobrine prometeu que ficaríamos aqui, abrindo e fechando portas para sempre – lamentou Builder.

– Se a gente pudesse saber o que tem atrás das três portas, antes de escolher uma delas, poderíamos encontrar o caminho. – disse Nina, já incomodada com a situação.

– É, claro! Como não pensamos nisso antes?! Você tem toda a razão, maninha! Podemos abrir as três portas de uma vez só. Assim, elas não se trancariam e poderíamos encontrar o caminho certo para sairmos daqui! – concordou Authentic.

– E se cada um de nós acabar preso do outro lado sozinho? – Nina parecia preocupada em ficar sem os amigos.

– Vamos ter que correr o risco – disse Builder, enquanto olhava satisfeito para Authentic. Ele sabia que esse era o melhor caminho para saírem dali.

Os três se posicionaram cada um em frente a uma das portas e, ao mesmo tempo, seguraram a maçaneta.

– Quando eu contar "três", nós abrimos as portas exatamente ao mesmo tempo. Um, dois...TRÊS! – Authentic disse.

Todas as portas foram abertas ao mesmo tempo, e os aventureiros tiveram então uma surpresa.

– Não acredito! Na minha só tem outra sala com mais três portas – Nina disse, chateada.

– Na minha também – respondeu Authentic.

– Pessoal, venham aqui! – Builder parecia novamente animado com a aventura. Da sua porta, dava para ver uma sala bem diferente das que tinham passado até agora. Era pequena, com as paredes bem irregulares e cheias de desenhos gravados em todos os lados. No fim dela, havia uma escada em caracol feita de metal.

– Boa, maninho! Até que enfim alguma coisa diferente! Bora subir por aqui, gente? – disse Authentic com um sorriso no rosto, apontando para a escada esquisitona.

Os aventureiros subiram a escada e chegaram a uma pequena porta no topo, que os levou a uma nova sala. Eles deram alguns passos e a porta se fechou, fazendo um forte barulho. Então começaram os ruídos.

Um montão de criaturas horrendas surgiu das sombras no fundo do salão, flutuando por todos os lados. Eram monstros amarelos, envoltos numa fumaça escura, que os amigos já conheciam muito bem. Eles se aproximaram, mas tiveram que pular quando uma bola de fogo veio na direção dos heróis, explodindo quando atingiu o chão.

– Blazes! Cuidado, maninhos! – gritou Authentic, levantando seu escudo e correndo de encontro com os monstros.

A BATALHA CONTRA ENDER DRAGON

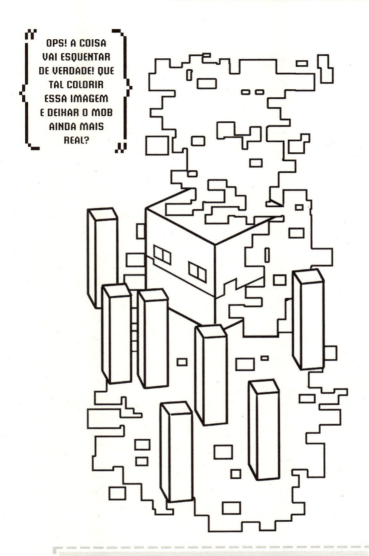

OPS! A COISA VAI ESQUENTAR DE VERDADE! QUE TAL COLORIR ESSA IMAGEM E DEIXAR O MOB AINDA MAIS REAL?

Terminou a pintura? Então tire uma foto da página e compartilhe com a hashtag #ABatalhaContraEnderDragon

– Não tem outra saída da sala! – disse Builder, preocupado, enquanto atacava um blaze.

– Comecem a craftar, maninhos! Eu seguro esses mobs! – falou Authentic, atacando três criaturas de uma só vez.

Nina correu para o lado de Builder, puxando a picareta e começando a acertar a parede com força. A garota cavava com a mesma intensidade com que lutava, fazendo uma abertura grande o suficiente para todos passarem agachados – o que atrasaria os monstros.

Builder relutou por um momento – a vontade de ajudar seu amigo a se livrar das monstruosidades era grande –, mas seguiu cavando. Afinal, não era à toa que ele tinha recebido esse apelido: craftar era uma das coisas que ele fazia de melhor. Em alguns instantes, o ar se preencheu de barulhos metálicos, que eram os golpes de espada que o herói dava nos mobs. A velocidade desses ataques era impressionante, e Builder se virou para ver o que estava acontecendo.

O aventureiro ficou de queixo caído. Authentic atacava de uma maneira surpreendente e parecia se multiplicar, acertando os blazes por todos os lados ao mesmo tempo. Os mobs não paravam de aparecer e já recheavam metade do grande salão, mas Authentic não hesitava nem por um segundo, derrubando um monstro atrás do outro. Builder só saiu do transe quando ouviu a voz de Nina do outro lado do túnel:

– Passei! Vem, gente!

Builder correu para o meio da confusão e começou a atacar os blazes até ficar lado a lado com seu amigo. Empolgado pela

A BATALHA CONTRA ENDER DRAGON

determinação do herói, começou a lutar como nunca, enquanto falava por cima do ombro com o companheiro:

– A Nina já está do outro lado! Vamos!

– Vamos, maninho! E vamos derrubar a passagem atrás da gente pra eles não nos seguirem! – respondeu Authentic.

A dupla passou pela entrada do túnel, ainda afastando os monstros que seguiam logo atrás, até que Authentic pegou uma das bombas de Nina e a colocou no chão, no meio do caminho. Eles se jogaram nos metros finais, bem a tempo de escutar o BUUUUUM da bomba explodindo e a terra cobrindo o túnel que tinham feito momentos antes. Do outro lado, largados no chão e completamente ofegantes, deram de cara com uma Nina que pulava animada em direção a eles, pronta para um abraço coletivo.

4

OSSOS PARA TODOS OS LADOS

O GRUPO ESTAVA EM UMA SALA MUITO, MAS MUITO grande, toda feita em pedra, e com uma pequena saída do tamanho de quatro blocos localizada no teto. Passaram tanto tempo olhando para a abertura que só perceberam que não estavam sozinhos quando um forte barulho de ossos batendo no chão chamou a atenção dos amigos. O som fez com que os três se virassem para trás.

Os aventureiros não estavam preparados para a cena que viram: três cabeças num corpo estranho flutuante, cercado por uma fina névoa roxa. E no chão, abaixo do monstro, havia um pequeno exército de esqueletos wither, caminhando rapidamente na direção dos amigos.

Ao avistar os monstros, Authentic partiu para a luta, seguido por Builder, que atacava usando mais força que o normal.

– Olha só que esquisito! Aquele wither está com uma picareta em vez de uma espada. O que será que ele vai fazer com isso? – Nina perguntou.

Nenhum deles precisou esperar muito tempo para descobrir. Segundos depois, o esqueleto cavou um buraco em um grande pilar, derrubando pedras para todos os lados. Uma delas por pouco não acertou Nina e Builder, pois Authentic conseguiu puxá-los a tempo, salvando os amigos.

Felizmente o salão era todo fechado e não tinha lugar para reforços chegarem do lado dos mobs, que foram diminuindo rapidamente, deixando apenas o monstrengo Wither para enfrentar. Logo, sabendo que estava perdendo para os três aventureiros, o mob lançou algo que parecia uma cabeça de esqueleto na direção do Authentic, que rolou para o lado para escapar do ataque.

– Sai do meu pé, chulé! – falou o herói, pulando bem alto na direção das três cabeças do monstro.

O Wither começou a desviar dos golpes de Authentic, que atacava sem parar e sem deixar o bicho começar a flutuar por aí, tornando-o vulnerável às flechadas de Nina. Depois de levar algumas, o mob decidiu mudar de estratégia e mergulhou na direção da garota com uma velocidade incrível.

– Ah, mas não vai, não! – gritou Builder, entrando na frente e dando um forte chute na cabeça do meio do monstro, deixando-o atordoado. Em seguida, aproveitando a vulnerabilidade do

A BATALHA CONTRA ENDER DRAGON

mob, acertou um forte golpe de espada na mesma cabeça, que saiu cambaleando para o lado.

Agora os heróis estavam em vantagem. Uma das três cabeças estava fora de combate, o que pareceu desnortear o Wither. Com a criatura mais lenta, foi mais fácil para Nina revidar, acertando a segunda cabeça por conta própria.

– Toma isso, seu monstro horrível!

Authentic acabou com a luta cuidando da última cabeça, num belo golpe com sua espada.

Os amigos comemoraram muito mais uma vitória. Após um breve descanso para recuperar as energias antes de seguirem para a superfície do End, os heróis subiram até a passagem com uma picareta presa em uma corda, objeto que Nina, com sua pontaria certeira, lançou na direção da saída no teto e conseguiu prendê-lo na borda da abertura.

Finalmente chegaram à ilha principal daquele lugar estranho. A hora de enfrentar o Ender Dragon se aproximava.

5

PAUSA ESTRATÉGICA

A ILHA DO THE END ERA UM LUGAR BEM ESTRANHO. Por todo lado tudo era feito de uma mesma cor esverdeada, quase brilhante. As únicas coisas diferentes eram os grandes pilares pretos, distribuídos em forma de círculo bem no centro da ilha. Do alto da colina em que estavam, podiam ver centenas de endermen no chão, que trabalhavam na construção do que parecia ser um novo pilar.

Os mobs eram vigiados pelo Ender Dragon, que sobrevoava o lugar bem do alto. De vez em quando, o dragão soltava pela boca uma poção venenosa, como se imaginasse que alguém pudesse estar ali para enfrentá-lo. Definitivamente, ainda não era hora de enfrentar o bicho. Então, decidiram começar pelos

A BATALHA CONTRA ENDER DRAGON

endermen. Os amigos passaram muito tempo prestando atenção no comportamento deles, decorando suas rotinas e também prestando atenção em como eles reagiam a barulhos estranhos que surgiam de vez em quando, vindos de algum lugar além do horizonte. Todo cuidado era pouco.

— O que a gente faz? — Nina perguntou baixinho, sem querer chamar a atenção do bicho ou dos endermen.

— Calma. Daqui eles não podem nos ver. — Builder tentou tranquilizar a amiga, mas ele mesmo estava preocupado com o tamanho do problema que iriam enfrentar!

— Precisamos de um plano — Nina continuou.

ENCONTRE NO DIAGRAMA AS PALAVRAS ABAIXO, COLOQUE-AS EM ORDEM E DESCUBRA COMO OS HERÓIS IRÃO DERROTAR O DRAGÃO.

✓ TODOS ✓ DESTRUIR ✓ CRISTAIS ✓ VAMOS ✓ OS

T	R	S	Q	C	Q	V	Z	R	K	S	X	G
O	E	G	Q	Z	W	A	R	L	H	G	H	P
D	W	R	E	L	O	M	Q	V	W	Q	W	A
O	P	A	P	F	S	O	H	G	V	A	A	W
S	U	R	L	F	T	S	Q	X	T	Q	M	O
J	H	Q	P	R	E	I	P	S	N	M	H	Z
O	D	E	S	T	R	U	I	R	U	K	M	W
Q	Y	C	R	I	S	T	A	I	S	G	A	P

A resposta do caça-palavras está ao lado. E quanto à mensagem? Você decifrou? Se não conseguiu, continue lendo o livro e descubra qual é!

– Já sei! Você disse que eram os cristais que recarregavam a força do dragão, certo? – Builder falou.

– Exatamente, maninho! – disse Authentic, que acenava com a cabeça, feliz pelo amigo ter descoberto sozinho a saída do problema.

– Vamos destruir todos os cristais! Assim, ele não poderá mais se recuperar de nossos ataques! – Builder concluiu.

Os pilares em si eram uma maravilha. Mais altos que qualquer estrutura que eles já tinham visto, faziam a torre do cativeiro de Authentic parecer um palito. Eles eram feitos de um material escuro que emitia um brilho sob a luz daquele lugar.

No topo destes pilares, havia uma estrutura brilhante, cercada de fogo e de um cubo de energia. Os amigos não entendiam bem o que era exatamente aquilo, mas a finalidade já era bem conhecida: recuperar a força do Ender Dragon, tornando-o o mob mais poderoso de todas as dimensões.

– Então, vamos lá!!! – Nina tentou correr na direção do monstro, mas Authentic a segurou a tempo.

– Nina, assim você vai chamar a atenção dele. Precisamos usar a cabeça agora! – Builder falou, acenando para que a menina se escondesse novamente.

Eles continuaram escondidos e começaram a bolar um plano. Era arriscado demais tentar agir sem uma estratégia. Várias ideias apareceram, mas a maioria tinha problemas graves, que poderiam colocar tudo a perder se um erro mínimo fosse cometido pelos aventureiros no caminho. Assim, depois de um bom tempo de conversa, chegaram a duas conclusões:

A BATALHA CONTRA ENDER DRAGON

— Acho que podemos ir juntos, rastejando bem devagar, e sempre olhando para o chão, aproveitando essas pequenas colinas para nos escondermos até chegarmos na base do primeiro pilar — disse Authentic.

— Acho que isso vai demorar muito, Authentic! Sem contar que, se algum de nós encarar um enderman sem querer enquanto estiver passando de uma pedra pra outra, já era! — comentou Nina, um pouco decepcionada. Ela queria ação.

— Eu sei, maninha, mas acho que é o mais seguro, podemos ir bem devagar, levando o tempo que precisar. Os caminhos que os endermen estão fazendo são bem previsíveis.

— Eu tenho outra ideia! — a garota exclamou.

— Qual é, Nina? — perguntou Builder.

— Nós podemos tentar acertar o cubo com flechadas! Vocês ficam com espadas, se esforçando para acabar com os endermen enquanto eu miro e BUM! Derrubo tudo!

Authentic e Builder se entreolharam, ponderando a ideia da menina. Era completamente maluca, mas poderia funcionar — talvez até melhor do que pularem de esconderijo em esconderijo, expostos no trajeto.

— É uma baita maluquice, mas eu gosto, maninha! — comentou Authentic com um sorriso, dando uma piscadela para a garota. — Você decide, Builder! O que vamos fazer?

> E AÍ, MANINHO? SE QUISER IR DE FININHO, É SÓ VIRAR A PÁGINA E CONTINUAR NO CAPÍTULO 6A. MAS SE QUISER ENFRENTAR OS ENDERMEN, É SÓ IR ATÉ O CAPÍTULO 6B.

6A

CUIDADO AO ANDAR

— VAMOS PELOS CANTOS E EVITANDO OS ENDERMEN, pessoal. Talvez demore um pouco mais, mas acho que assim estaremos mais seguros – disse Builder, cuidadoso, sempre preocupado com o bem-estar de seus amigos.

— Ai, que sem graça! – reclamou Nina, fazendo um beicinho. – Minha ideia era bem mais divertida!

— Com certeza era, Nina, mas prefiro desse jeito. Também podemos dar uma olhada com calma no que tem do outro lado da ilha enquanto nos mexemos. Assim, nós guardamos energia para enfrentar o Ender Dragon.

— Está decidido então, pessoal! Vamos! – disse Authentic, se levantando e jogando a mochila por cima dos ombros.

A BATALHA CONTRA ENDER DRAGON

O grupo começou a avançar com cuidado, esperando os endermen se moverem para passarem para outro lugar onde ficariam escondidos. Usavam todo o tipo de coisa para se esconderem: pedras grandes, montes de entulho, buracos no chão e pequenas colinas. Usaram como esconderijo até os montes de pedra que os endermen tinham separado para a construção do novo pilar, enquanto passavam de um lugar para outro, tentando chegar o mais rápido possível.

Em alguns momentos, quase foram pegos por mobs que andavam pela ilha. Por mais de uma vez, Authentic, Nina e Builder tiveram que voltar no meio de uma passagem ou se jogar atrás da primeira coisa que aparecia para evitar que fossem vistos, o que os fazia perder muito tempo. Parecia que nunca chegariam até o primeiro pilar, tamanho era o cuidado. Em compensação, a todo o momento eles conseguiam manter as cabeças baixas, evitando irritar os endermen.

Uma coisa engraçada também acontecia com as distâncias daquele lugar: eles tinham a impressão de que tudo era muito perto, mas poderiam andar por horas em uma linha reta sem conseguir ficar mais perto de onde queriam chegar.

Depois de muitas horas, finalmente podiam avistar a base do primeiro pilar. Eles se aproximaram ainda mais da estrutura, ficando quase a ponto de tocá-la. Faltava apenas uma pequena passagem exposta aos endermen. Builder estava passando rapidamente para a base do pilar, quando, de repente, viu um mob saindo por trás de um bloco de pedras. *Droga! Foi por pouco!*, pensou o aventureiro, congelado no lugar em que estava, rezando para ter dado tempo de escapar do ataque. *É engraçado como às vezes nossa cabeça nos protege do perigo sem nem percebermos*, refletia o herói.

O mais engraçado ainda é que a coisa funcionou.

Builder ficou lá, parado, olhando para o chão, esperando pelo grito de alerta do mob que poderia chegar em instantes. Conseguia ouvir os pés do enderman se arrastando pelo chão e os grunhidos de esforço que ele fazia por carregar um bloco de

A BATALHA CONTRA ENDER DRAGON

pedra, mas ele não parecia notar que o aventureiro estava ali, a poucos metros de distância. A espera era agonizante, mas Builder aguentou firme, pois, se levantasse o olhar para encarar o enderman, poderia colocar seus amigos em risco.

O herói quase suspirou de alívio, mas aí sim seria descoberto. Olhou para a base do pilar e viu seus amigos, preocupados – eles não conseguiam ver o que estava acontecendo de onde estavam e não sabiam se deveriam voltar, correndo o risco de serem vistos. Builder fez sinal para que ficassem calmos e esperou o enderman passar por ele para voltar a se mover.

Depois de alguns minutos, seguiu ao encontro dos seus amigos, com um dedo sobre a boca, indicando para que ficassem quietos. Depois de chegar bem perto dos dois, sussurrou:

– Deu tudo certo, galera. Só precisamos tomar cuidado para não fazer barulho agora – alertou o aventureiro.

– Builder, por que você não atacou aquele enderman fracote? Seria tão mais legal... Aff! – disse Nina.

– Foi melhor assim, maninha. Se não chamarmos a atenção deles, ficaremos seguros – argumentou Authentic.

– Bem, pelo menos chegamos, né? – disse Builder, contente, agora mais tranquilo depois do susto.

Os três ficaram olhando para o enorme pilar, que não tinha qualquer escada ou ponta que pudesse ajudá-los a escalar. Era hora de superar um novo problema.

6B

É HORA DE ATACAR!

— SUA IDEIA É TÃO DOIDA QUE EU TENHO CERTEZA DE QUE VAI dar certo, Nina. Não me pergunte o porquê, mas vamos fazer isso – disse Builder para uma Nina radiante.

— Obaaaaa! Vamos lá, gente, vocês vão ver! Vai ser tão divertido! – exclamou a garota, sem conseguir esconder sua felicidade. Ela adorava ver seus planos sendo colocados em prática. Mais do que isso, a menina gostava de tudo que envolvia ação. Com certeza seria impossível esconder sua frustração se Builder tivesse escolhido o outro plano.

— Ah, isso vai – comentou Authentic, trocando com Builder um olhar que demonstrava certo nervosismo, desta vez pensando se tinham feito a escolha certa.

A BATALHA CONTRA ENDER DRAGON

Para esse plano, tudo foi feito bem rápido e do jeito mais seguro possível. Authentic esperou que o Ender Dragon voasse para o alto, de onde era impossível enxergar o que se passava no chão. O herói, então, tomou a liderança e começou a andar em direção aos endermen, empunhando sua espada. Builder e Nina seguiram logo atrás. Builder estava tenso, mas Nina praticamente saltitava ao ver seu plano em ação. Assim que o primeiro mob começou a duelar com Authentic, vários endermen chegaram para enfrentar o herói. Ao perceber que a situação estava começando a ficar difícil, mesmo com o amigo mostrando o enorme talento que tinha para acabar com todos os tipos de mob, Builder se encheu de coragem e tirou sua espada da mochila para ajudá-lo.

Nesse momento, Nina já estava com o arco em mãos, louquinha para tentar acertar o alto dos pilares. O problema é que, para conseguir, ela teria que ficar olhando para cima, o que a deixava muito vulnerável ao ataque dos mobs. Por isso, tentou ficar o mais próxima possível dos meninos.

Os dois pareciam verdadeiros samurais. Além da força e precisão dos golpes, Builder e Authentic demonstravam possuir uma velocidade incrível. Apesar de existirem tantos mobs ao redor, nenhum enderman conseguia acertar os amigos. A concentração dos dois na luta era tão alta que nem mesmo o fato de os endermen conseguirem se teletransportar serviu de vantagem para os monstros. Mas, mesmo com Builder e Authentic dando um show ao aniquilar os endermen, eles eram muitos, e o trio não conseguia avançar.

A BATALHA CONTRA ENDER DRAGON

Nina começou a ficar impaciente com os mobs e decidiu agir: saiu correndo em direção ao pilar mais próximo, doidinha para usar logo suas flechas.

– Volta já para cá, Nina! É muito perigoso! – gritou Builder!

– Não posso! Desse jeito a gente não vai vencer nunca!

Ela começou a corrida bem confiante, mas o The End era tão esquisito que parecia que, por mais que ela corresse, quase não saía do lugar. E, para piorar, nessa hora um enderman passou bem à frente de Nina! A garota ficou muito nervosa, pois não sabia se a flecha seria capaz de derrotar esse mob. Porém, uma coisa muito esquisita aconteceu: ele passou direto por Nina, sem atacá-la, mesmo com a garota olhando diretamente para ele.

Depois disso, os dois aventureiros passaram correndo pela menina, olhando para baixo, e se esconderam dos outros endermen no pilar mais próximo. Aquela era uma briga que não ia acabar nunca.

– Esse enderman era cego! – sussurrou Builder.

– Eita! Pena que os outros enxergavam muito bem, né? – falou Nina, visivelmente chateada.

– Sim, maninha... Esse plano não deu muito certo, mas agora que estamos aqui, podemos tentar subir no pilar e continuar com o outro plano – disse Authentic.

Após recuperarem o fôlego, finalmente podiam avistar a base do pilar. Os três ficaram olhando para a enorme estrutura, que não tinha qualquer escada ou saliência que pudesse ajudá-los a escalar. Era hora de superar um novo problema.

CIDADE DO END

A ÚNICA COISA DE QUE OS HERÓIS DA VILA FARMER tinham certeza é de que precisavam escalar aquele pilar. Só não sabiam como. O pilar era extremamente liso e alto demais para que tentassem arremessar algo até o topo da construção para poderem escalar, como haviam feito ao chegarem ao The End. Ficaram um bom tempo parados encarando o pilar, pensando em como poderiam subi-lo. Enquanto pensavam em uma solução, os três amigos começaram também a refletir sobre sua aventura e tudo que haviam enfrentado até ali.

Despistar os endermen e chegar à base do primeiro pilar era apenas o começo daquela jornada e já tinha sido uma tarefa bem complicada. Apesar de terem se saído bem, os amigos sa-

A BATALHA CONTRA ENDER DRAGON

biam que ainda precisavam destruir os cristais, derrotar o Ender Dragon e acabar de vez com o Herobrine.

— Sabe, eu queria entender qual é a história por trás dessa aliança entre o Herobrine e o Ender Dragon. Quem será que é o verdadeiro líder? — Nina perguntou.

— Com certeza é o Ender Dragon! — Authentic respondeu, sem pensar muito nem demonstrar qualquer sinal de dúvida.

Espantados, Nina e Builder encararam o amigo. Há pouco tempo eles sabiam que o herói não pensava dessa forma.

— Como você sabe?

— Eu apenas usei o meu cérebro para interpretar todos os sinais que foram dados até agora — ele falou de um jeito sério. Parecia mesmo que ele sabia o que estava falando.

Contudo, os outros pareciam duvidar dessa certeza toda que o herói apresentava. Nina e Builder continuavam a encará-lo sem ao menos acreditar na segurança com que Authentic dizia aquilo. Estava claro que ele tinha desvendado o mistério daquela jornada. Mas como?

— Como você chegou à essa conclusão? — Nina perguntou. Afinal, eles estiveram juntos a jornada inteira, e ela também era bem esperta. Mesmo assim, parece que não tinha conseguido interpretar os sinais que Authentic dizia.

— É fácil. É só colocar o cérebro para pensar... e olhar para a base desse pilar — Authentic disse, tentando segurar a risada.

Ao mesmo tempo em que tinham vontade de pular no pescoço do amigo, Nina e Builder queriam dar umas boas risadas, pois se sentiam muito bobos. Authentic fizera todo aquele suspense apenas para se divertir. A resposta estava o tempo todo à frente deles, e bem mais perto do que imaginavam.

Ao se aproximarem da construção, que era bem mais larga do que parecia de longe, eles puderam ver o trabalho que os mobs tiveram para erguer aquela coisa. Além de transportar todos aqueles blocos e ter que empilhar pedra sobre pedra para construir a gigantesca estrutura negra, os endermen ainda tiveram o trabalho de talhar inscrições e desenhos em cada bloco que montava o pilar. E foram nelas que os heróis encontraram a resposta e puderam enfim entender quem é que de fato estava liderando todo aquele plano malévolo.

VOCÊ CONSEGUE INTERPRETAR O QUE SIGNIFICAM ESSES DESENHOS?

A BATALHA CONTRA ENDER DRAGON

— Olha, Authentic, aquele ali é você! — Nina observou. — Eles queriam te pegar desde o começo!

— E esse primeiro desenho mostra o Ender Dragon dominando os mobs de todas as dimensões — Builder completou.

— Pois é. E aqui está a aliança entre o Herobrine e o Ender Dragon. Vocês percebem que neste desenho o Herobrine está ajoelhado? Então, acho que isso é um sinal de que o Ender Dragon é o verdadeiro vilão dessa história — Authentic opinou. — É ele que nós temos que nos esforçar em derrotar!

— Talvez o Herobrine só esteja sendo usado — Builder disse.

— Pode ser, maninho – concordou o outro.

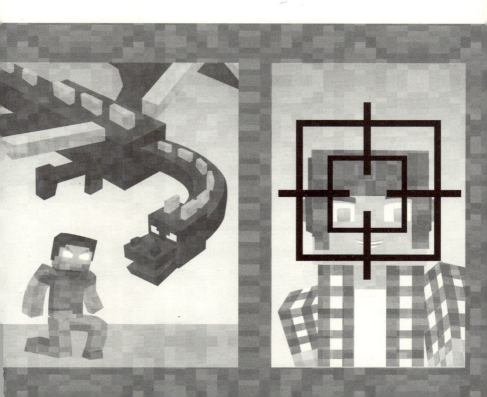

AUTHENTICGAMES

Os três comemoravam a decoberta, rindo muito.

– *Continuem a rir. Vamos ver quem ri por último.* – A voz ameaçadora de Herobrine voltou a preencher o lugar. Então, a imagem de Herobrine foi se formando na frente dos amigos.

– Seu plano absurdo acaba aqui, Herobrine! – disse Builder.

– *Hahahaha... é o que veremos!* – debochava Herobrine, enquanto fazia aparecer em suas mãos uma espada de energia.

Builder partiu para cima de Herobrine e os dois começaram a trocar golpes de espada. Authentic e Nina correram para ajudar o amigo e Herobrine se viu encurralado pelos heróis. De repente, os três sentiram o chão se desfazer e se viram dentro de um túnel, que sugava os heróis para um lugar desconhecido.

– *Quero ver como vocês batalham em um cenário novo, cheio de perigos que vocês nem sabem que existem.*

Builder, Authentic e Nina caíram em um lugar completamente estranho. Ele até parecia com a ilha principal do The End, mas tinha alguns castelos de blocos roxos.

– Onde nós estamos? – Builder perguntou.

– *Vocês estão na Cidade do End, o meu esconderijo. Aqui, sou mais forte e imbatível.* – A voz de Herobrine respondeu.

– Ele deve ter trazido a gente por algum portal lá na ilha principal do The End! – Authentic concluiu.

– E agora? Como a gente voltar? – Nina disse.

– Não sei, vamos ter que explorar o lugar – disse Authentic.

– *Preparem-se, heróis fajutos. Aqui os perigos estão disfarçados. Vocês nem vão saber o que lhes atingiu* – ameaçava o vilão, enquanto sua voz desaparecia no nada.

A BATALHA CONTRA ENDER DRAGON

— Precisamos encontrar a saída desse lugar. E eu desconfio que seja naquele castelo enorme — sugeriu Authentic.

O castelo não era sombrio ou assustador. Na verdade, a cor roxa das pedras deixava o lugar com uma aparência quase acolhedora. Eles passaram pela porta e entraram em uma pequena sala. Uma escada de pedras dava acesso ao segundo andar.

Sem nenhum perigo à vista, eles avançaram no castelo, subindo os primeiros degraus da escada. Authentic se posicionou na frente, protegendo os amigos do que estava por vir. Builder ficou atrás, para evitar serem pegos de surpresa

Nina olhava para cima, atenta a mobs que poderiam surgir do alto. Ela estava tão concentrada que não percebeu que algo acertou seu ombro e fez seu corpo começar a levitar. Só quando notou que o teto ficou bem perto de sua cabeça é que Nina se deu conta de que estava flutuando.

— Meninos!!! Me ajudem! — ela gritou assustada.

— Nossa, o que está acontecendo? — Builder se questionou, sem saber o que fazer ao ver a garota voando pela sala.

Authentic usou uma corda para laçar os pés de Nina, puxando-a de volta para o chão.

— Ufa! Valeu, Authentic! O que foi isso? — a garota perguntou. Nesse instante, um bloco encostado na escada se partiu ao meio e uma pequena cabeça surgiu de dentro da pedra. Nina e Builder nunca tinham visto esse tipo de mob antes.

> MANINHO, VOCÊ CONSEGUE IMAGINAR QUAL MOB ESTÁ ATACANDO OS HERÓIS? VIRE A PÁGINA E DESCUBRA!

{ USE LINHAS RETAS PARA LIGAR OS PONTOS E DESCUBRA QUAL
MOB ESTÁ AMEAÇANDO VOCÊ, NINA E AUTHENTIC DESTA VEZ! }

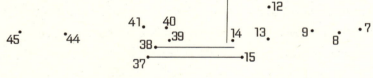

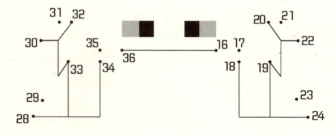

**Compartilhe o seu desenho com a hashtag
#ABatalhaContraEnderDragon**

A BATALHA CONTRA ENDER DRAGON

— Devem ser shulkers, maninhos. Tomem cuidado — comentou Authentic, se aproximando do mob roxo. Ele não parecia ser perigoso, mas o herói sabia que todo cuidado era pouco quando o assunto era mobs.

— Como assim cuidado? Ele é tão fofo e bonitin... — Nina comentou, quando foi interrompida por um projétil disparado pelo mob, que começou a perseguir os heróis. Foi Builder quem destruiu o projétil com sua espada, acertando-o no ar com um só golpe rápido.

— Fui atingido! — Outro shulker acertou Authentic, que começou a sobrevoar a sala. Enquanto Builder puxava o amigo pelo calcanhar, Nina disparava flechas em direção ao mob. O monstro, porém, foi mais esperto e rápido, e bloqueou os ataques dela, fechando-se na concha.

— Aff! Ele se fechou na concha. As flechas não conseguem acertá-lo — lamentou Nina. Parecia impossível atingir o mob.

— Tente com fogo — Authentic sugeriu.

Builder pegou uma tocha de sua mochila, acendeu e jogou no shulker, que se fechou novamente na concha.

— Não funcionou também — disse Builder, nervoso. Ele já parecia bastante preocupado com a situação.

Naquele momento, outros blocos roxos se transformaram em shulkers e dezenas de projéteis começaram a rasgar o ar da sala. Nina aproveitou o momento que um deles estava aberto e acertou uma flecha bem na cabeça dele.

— Um a menos! — gritou a garota, tentando incentivar os amigos. Parecia que aquela batalha ia ser bem complicada.

Porém, uma confusão mudou tudo. Um dos shulkers acabou acertando sem querer outro mob, fazendo os monstros começaram a atirar uns nos outros, ignorando os heróis.

– Essa é a nossa chance, maninhos. Corram para o andar de cima! – Authentic esperou até que Nina e Builder passassem por ele para poder disparar para o segundo andar também.

Novo andar, novos shulkers. A batalha recomeçou, com cada vez mais mobs disparando projéteis na direção dos heróis. Os amigos foram derrotando os mobs um a um com arco e flechas. Mas ainda restava um mob, que não havia se revelado.

– Cuidado, Builder. – Um projétil passou raspando ao lado do rosto do aventureiro, que conseguiu desviar a tempo e destruí-lo com a ajuda de sua espada.

– Clap! Clap! Clap! – aplaudia Herobrine enquanto andava na direção de Nina, Authentic e Builder. – *Parabéns para os heroizinhos! Vocês realmente acham que isso vai fazer diferença?!*

– Ô, se vai! – Builder interrompeu o vilão.

Então, um movimento estranho chamou a atenção de todos: um barco enorme flutuava e se aproximava da construção. Os amigos ficaram preocupados que algum tipo de mob pudesse sair de lá para atacá-los.

– Cara, um barco?! Esse Herobrine tem cada carta na manga, não? – surpreendeu-se Nina.

– *Hahahaha! Você ainda não viu nada!* – continuou o vilão.

Os amigos estavam com medo do que poderia sair daquele barco. Que surpresa desagradável Herobrine teria preparado aos heróis?

A BATALHA CONTRA ENDER DRAGON

PREENCHA OS CÍRCULOS COM AS LETRAS SOLICITADAS DE CADA FIGURA E DESCUBRA O NOME DOS MOBS QUE ESTÃO ESCONDIDOS NO BARCO.

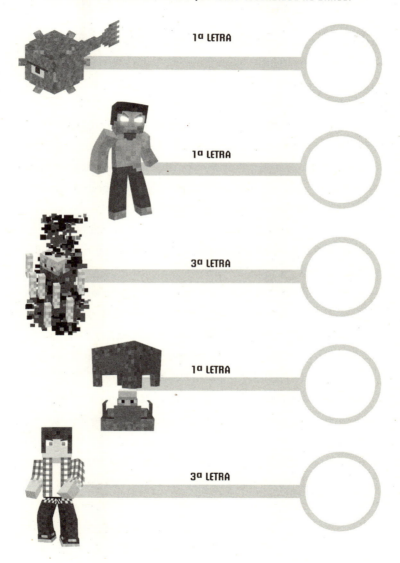

1ª LETRA

1ª LETRA

3ª LETRA

1ª LETRA

3ª LETRA

Com o toque de uma trombeta, uma enxurrada de ghasts começou a sair da proa, indo diretamente ao encontro dos heróis, disparando bolas de fogo e voando na direção dos aventureiros. Authentic usou sua tática do "helicóptero fatal" e foi para cima dos mobs, girando na frente de seu corpo as lâminas de suas espadas e desviando dos projéteis, que acabavam atingindo outros monstros no fogo cruzado.

Enquanto Builder e Nina atacavam os monstros que ficavam próximos do chão, Authentic inovou e começou a usar os próprios ghasts como trampolim para pular mais alto e acertar os mobs que eram espertos o suficiente para ficarem mais distantes, soltando uma bola de fogo atrás da outra. Parecia uma luta entre dois exércitos, que ocupava toda a plataforma do topo da torre. A batalha parecia durar horas, mas, na verdade, apenas alguns minutos tinham se passado e os heróis já haviam se livrado de metade dos ghasts. Uma parte dos mobs estava fugindo da briga, voltando para a segurança do barco, mas nenhum dos três amigos davam sinal de que iriam desistir. Authentic continuava pulando de ghast em ghast quando...

– *BUUU! Te peguei...* – gritou Herobrine.

O susto foi suficiente para fazer o herói perder a concentração e escorregar, levando um baita tombo. Rapidamente, Nina e Builder se juntaram a ele, protegendo o amigo enquanto ele se recuperava da queda. Todos os ghasts já tinham voltado para o barco, que se afastava rapidamente da torre. Agora eram só eles e Herobrine.

O DESTINO DE HEROBRINE

– NÃO HÁ MAIS PARA ONDE FUGIR, AGORA VOCÊS SÃO meus! – gritava o vilão.

– Cachorro que muito late não morde! – provocou Nina.

– Garota, você é muito abusada. Acho que serei obrigado a acabar primeiro com você! – ameaçou Herobrine.

– Só passando por cima de mim! – gritou Builder, já avançando em um ataque feroz.

Porém, quando achou que atingiria Herobrine, o vilão se teletransportou, apareceu bem atrás dele e deu-lhe um empurrão, fazendo o herói cair da torre.

– NÃÃÃÃÃÃÃÃÃÃOOO! – gritou Nina, que saiu correndo na direção onde Builder havia desaparecido.

— Cuidado, Nina!!! — alertou Authentic, que viu Herobrine se aproximar da menina, aproveitando que ela estava distraída. A garota conseguiu a tempo desviar do golpe que o vilão tentou lhe acertar com uma espada de energia que fizera aparecer em sua mão. Em resposta, Authentic partiu também para o ataque, encurralando Herobrine.

— Veja se Builder está bem, eu distraio ele! — gritou o herói, enquanto tentava acertar Herobrine com golpes de espada. Nina então correu para a beirada da torre e, para sua surpresa, viu que Builder não estava caído lá embaixo como imaginara, mas bem perto dela.

— Eu estou bem! — disse Builder, que, com muita agilidade e um pouco de sorte, conseguiu se agarrar à borda do chão. Com a ajuda de Nina, o herói logo estava de novo na superfície da torre. Os dois então viram Herobrine e Authentic travando uma batalha feroz.

— Precisamos ajudá-lo! — disse Nina, com a voz preocupada.

A luta estava equilibrada, mas Authentic parecia estar ficando cansado, o que não acontecia com Herobrine. O vilão, quando ouviu a voz da menina, deu um último golpe muito forte em Authentic que, mesmo defendendo a investida, acabou perdendo um pouco o equilíbrio, e foi obrigado a se afastar para não ser novamente atingido.

Aproveitando a trégua, Herobrine se teletransportou de novo e apareceu atrás de Builder e Nina. Dessa vez, o vilão acertou um golpe muito forte na garota, que a mandou para longe. Em seguida, atacou Builder, que conseguiu se defender. Contu-

A BATALHA CONTRA ENDER DRAGON

do, com a força do impacto, a espada do herói se quebrou, o que permitiu ao vilão acertar outro golpe.

– *Você já era, heróizinho!* – disse Herobrine, encarando-o com aqueles olhos brilhantes. Ele estava muito próximo, e com a espada apontada para o peito de Builder.

Ao olhar para aquelas órbitas brilhantes, o herói se lembrou de uma coisa muito importante, tão brilhante quanto o olhar do Herobrine. No tempo em que ficaram na Vila Farmer após o resgate de Authentic, o herói chamou Builder para a sua casa e deu a ele um presente especial: uma espada toda feita de lápis-lazuli. Mas não era uma simples espada, era encantada. Era uma arma linda e aterrorizante; dava para ver os encantamentos percorrendo a lâmina afiada, sempre se movendo e dando a impressão de que a pedra preciosa estava viva.

"Essa espada só perde para a minha de diamante. De qualquer modo, isso daí pode cortar quase tudo e proteger você de várias coisas ruins", disse Authentic na ocasião.

Builder queria negar o presente, mas Authentic insistiu, dizendo que eles precisariam de toda a ajuda disponível para concluir a missão. Receoso de usar uma arma tão poderosa, o aventureiro tinha guardado o item precioso na mochila até agora, sem revelá-la para ninguém.

– *Fim da linha, herói!* – disse Herobrine, cheio de raiva.

Quando tentou acertar o golpe fatal em Builder, o aventureiro deu um giro rápido e se levantou logo em seguida, já empunhando a espada de lápis-lazuli que pegara na mochila. Deu uma piscadela para Authentic, que abriu um sorriso confiante de aprovação. Nina também já havia se levantado, e parecia surpresa com a "carta na manga" de Builder.

– *Hahahaha! Você acha que essa espadinha vai me assustar? Nem a arma mais poderosa que você tem é páreo para o meu poder!* – gritou Herobrine.

– Você pode até estar certo, Herobrine. Mas você se esqueceu de um pequeno detalhe: eu não estou sozinho! – exclamou Builder. Como se tivessem combinado uma estratégia, os três heróis partiram ao mesmo tempo para cima do vilão, que logo estava recebendo golpes por todos os lados.

Apesar de rápido e muito habilidoso, Herobrine acabou sendo surpreendido pelo ataque, e não conseguia reagir de forma efetiva aos golpes. *"Eles não vão me vencer... não podem me vencer!"*, pensava o vilão, preocupado com a própria situação no combate. Mas, mesmo com todos os esforços, não conseguiu evitar que Authentic lhe atingisse bem no braço em que estava segurando a espada de energia.

– *AAARGHHH!* – Herobrine gritou de dor, que logo em seguida foi derrubado por Builder, numa tentativa de evitar que ele tentasse fugir.

– Acabou, Herobrine! – exclamou Authentic, agora com a espada apontada para o peito do vilão, caído no chão.

– *Não! Não está nada acabado! Não até eu acabar com vocês!* – gritava ele.

Mas Authentic não deu mais tempo para que o vilão dissesse nada. Encostou sua espada no peito de Herobrine, como se quisesse vencê-lo, mas sem machucá-lo.

Então aconteceu algo impressionante. Uma forte luz começou a brilhar no peito do vilão, crescendo de intensidade até que os três amigos fossem obrigados a cobrir os olhos para não ficarem cegos.

Depois de alguns segundos, fez-se um silêncio total. E ao encararem novamente o vilão, viram que os olhos de Herobrine já não brilhavam mais. Em vez disso, um par de olhos azuis encarava os amigos de um jeito assustado. O vilão já não estava mais entre eles; no lugar, havia uma figura comum deitada no chão.

– Quem é ele? – perguntou Nina, curiosa.

– Eu sou Steve – respondeu o homem, sem dar chance a Authentic de explicar alguma coisa a Nina.

– Quem são vocês? – perguntou Steve.

– Eu sou Authentic, e estes são meus amigos Builder e Nina. Você está bem? – disse o herói, indo de encontro ao homem e ajudando-o a se levantar.

– Estou bem sim. Bem melhor agora que estou livre do Herobrine. Muito obrigado por me livrarem dele! – agradeceu o homem, que agora apresentava uma expressão de satisfação e muita gratidão.

– Cara, você estava dentro do Herobrine o tempo todo? – Nina perguntou, curiosa.

– Sim, eu estava preso dentro dele. A energia ruim do Herobrine tomou conta do meu corpo e, segundo a maldição, enquanto ninguém o enfrentasse, eu ficaria preso para sempre. – Steve parecia realmente aliviado por estar livre agora.

A BATALHA CONTRA ENDER DRAGON

— Mas por que ele fez isso?

— Não sei... — Steve respondeu aos amigos, ainda bastante abalado com a situação.

— Deve ter sido a primeira tentativa dele de dominar o mundo da superfície. Como não conseguiu sozinho, ele se juntou ao Ender Dragon — concluiu Authentic.

— Vou ser eternamente grato a vocês. O que posso fazer para recompensá-los? — Steve falou.

— Se puder, nos ajude a voltar para o The End. Precisamos acabar com o Ender Dragon agora — explicou Authentic.

— Ah, com certeza! O Herobrine jogou muito sujo com vocês. Normalmente o portal para este lugar só se abre quando o Ender Dragon é derrotado, mas ele os trouxe para cá pois sabia que vocês não conheciam esta dimensão. Aqui ele poderia derrotar vocês com mais facilidade — lamentou Steve. — Mas eu consigo levá-los de volta, fiquem tranquilos. — Steve conseguia sentir que certas características de Herobrine ainda permaneciam nele, como a capacidade de se teletransportar e ativar portais.

Dizendo isto, segurou os três heróis e os levou para outra ilha flutuante, semelhante à que Herobrine havia levado os amigos, mas sem a torre roxa com os shulkers. Ali, existiam apenas árvores e endermen, e uma estrutura de pedra cinza, dentro da qual viram aquele líquido escuro que mais parecia um espelho d'água.

— Vejam, um portal! — exclamou Nina.

— Sim. É por onde vocês chegarão ao The End novamente.

Daqui vocês terão que seguir sozinhos – disse Steve.

– Você não vem com a gente? – perguntou Authentic.

– Acho que não tenho mais nada para fazer na superfície. Passei tantos anos aqui enquanto estava dominado pelo Herobrine que não sei se conseguirei me adaptar à superfície de novo. Mas quem sabe um dia eu volto.

– Tudo bem então. Muito obrigado por nos ajudar a sair daqui! – agradeceu Authentic.

– Eu que agradeço por terem acabado com o Herobrine! Boa sorte na jornada de vocês, e tomem cuidado com o Ender Dragon – alertou Steve.

– Pode deixar! – disseram os heróis.

– Se quiser voltar, nos procure na Vila Farmer. Será bem-vindo! – disse Authentic.

– Obrigado pelo convite – respondeu Steve.

Depois disso, pularam então no portal. Os três estavam tão felizes e confiantes que nem se importaram com a vertigem da viagem. Agora sabiam que não precisariam mais se preocupar com Herobrine, e ainda tinham ajudado Steve a se libertar. Estavam se aproximando agora da última e mais perigosa fase de sua aventura.

DE FRENTE COM O DRAGÃO

AO CAÍREM DE VOLTA NO THE END, OS HERÓIS SE depararam com a mesma cena de quando chegaram pela primeira vez no local. Vários endermen trabalhando, levando blocos de um lado para o outro.

Lá no alto, voando em círculos, estava o mob mais poderoso de todas as dimensões: o Ender Dragon. Os heróis estavam, finalmente, diante de seu último e maior desafio daquela jornada. Mesmo voando muito alto, ele ainda parecia gigantesco.

– Será que ele consegue nos ver de onde está? – Nina perguntou aos amigos?

– Acho que não. Ele está muito alto. Por isso, não podemos chamar a sua atenção – Authentic explicou.

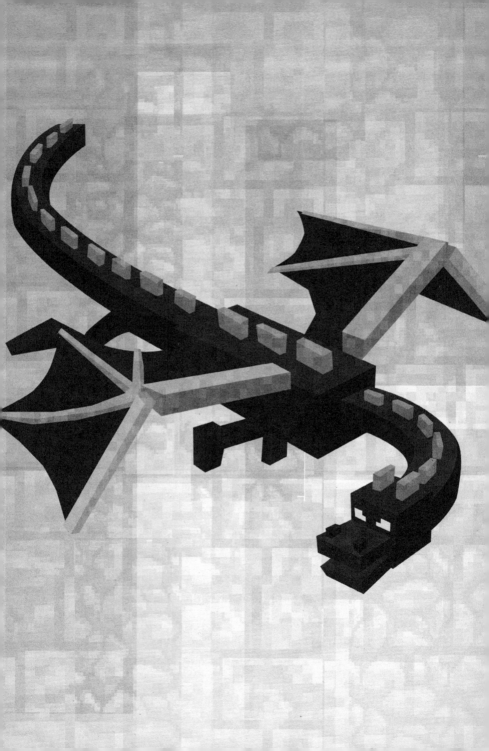

> NOSSA, MANINHO, VOCÊ VIU O TAMANHO DO ENDER DRAGON? QUE TAL DESENHAR AQUI A SUA PRÓPRIA VERSÃO DO DRAGÃO?

Depois que terminar, tire uma foto da página e compartilhe com a hashtag #ABatalhaContraEnderDragon

Escondidos atrás de uma colina, eles desviaram o olhar do dragão e notaram os endermen à frente deles.

– São muitos mobs, e temos que destruir todas aquelas estruturas em cima dos pilares. Vamos ter que traçar um novo plano – disse Authentic. – Mais eficiente desta vez.

– Acho melhor nos dividirmos. Assim cada um pega um pilar e fica mais difícil dos endermen acompanharem nossa movimentação – sugeriu Nina.

– Parece uma boa ideia, Nina! E você maninho, o que acha? – o herói perguntou a Builder.

– Por mim fechou! – respondeu, animado.

– Ótimo! Então vamos lá! Cada um escala um pilar e destrói a estrutura brilhante. Mas tomem cuidado para não olharem para os endermen. Vai facilitar a nossa missão se não arranjarmos mais problemas por enquanto – orientou Authentic, já se levantando e se preparando para o desafio.

Os heróis então se espalharam. Logo, cada um já estava em frente à base de um pilar, prontos para dar início ao plano.

❏❏❏

Nina queria derrubar seu pilar a qualquer custo para mostrar aos amigos que eles podiam contar com ela.

A garota subia com uma velocidade impressionante, colocando bloco atrás de bloco em uma escalada acelerada. Quem olhasse para Nina em ação poderia jurar que ela estava flutuando, enquanto avançava pelo pilar.

A BATALHA CONTRA ENDER DRAGON

Por mais estranho que fosse, a menina estava completamente tranquila no meio daquela correria toda. Tratando a situação como se fosse um verdadeiro jogo, ficou animada com aquele desafio, o que deixava tudo mais fácil para ela. Esse era o jeito da Nina de encarar os problemas, sem medo e com bastante leveza.

Ao chegar ao topo, foi logo pegando uma bomba da mochila e jogando na estrutura que controlava a força do Ender Dragon – teria tempo para fazer mais estragos depois. Assim que a bomba atingiu a camada externa de energia, ela rebateu e fez um grande arco na direção da aventureira, que precisou pular para a frente e evitar a explosão. Aquelas bombas eram muito fortes, fazendo um BUUUM bem alto e destruindo o pedaço do canto direito do pilar, além dos blocos de pedra que Nina tinha usado para subir até o topo.

Pensativa, Nina sorriu. O primeiro passo havia sido dado. Agora era hora de causar um estrago de verdade – coisa na qual a menina era craque. Desde pequena, Nina tinha uma aptidão para a bagunça. Era comum ver a menina envolvida em casos de cercas quebradas, coisas que explodiam na vila, móveis detonados e animais nervosos. Ela gostava de testar os limites das coisas e de fazer muito barulho – por isso, era muito querida pelas crianças mais novas e razão da irritação dos mais velhos.

Apesar da tendência à destruição, Nina também era extremamente protetora no que dizia respeito aos seus amigos. A garota não tolerava injustiças com quem quer que fosse e, mais de uma vez, tinha se metido em brigas que os meninos grandes arranjavam com os mais novos só para chateá-los. Foi nessa época que a colher de pau – que estava na sua mochila durante toda a jornada – se tornou seu objeto favorito, pois Nina a usava como arma para afugentar os meninos maus e metidos a valentões em geral.

Sempre que arranjava problemas recebia os castigos mais criativos possíveis de seu pai. Apesar de dar uma bronca sempre que a garota se metia em confusão, Arthur gostava de ver a menina defendendo os mais fracos e corrigindo injustiças. Nina sabia disso e, conforme crescia, entrava em enrascadas cada vez maiores, até chegar na época do sequestro de Authentic. Foi a única vez que seu pai estava realmente bravo, por conta do medo que tinha de perder a única filha em uma aventura bastante perigosa.

Ah, se seu pai pudesse ver como ela estava agora! Tinha certeza de que ele ficaria orgulhoso de tudo o que ela fizera nesta jornada e ainda ia fazer, salvando o mundo da superfície no processo. Ele ficaria bravo no começo, é claro, mas com o tempo tudo daria certo.

Voltando para o presente, Nina começou a planejar sua destruição calculada do lugar. Colocou algumas bombas ao redor do mecanismo, com bastante cuidado. Em seguida, amarrou as bombas na estrutura do cristal e tomou distância para se proteger. A ideia era encher todo o centro do topo da torre de bombas, detonar e acabar rapidinho com aquela fonte de energia capaz de recuperar as forças do Ender Dragon. Separou três flechas, segurou o arco e respirou fundo.

Nina soltou a primeira flecha bem no meio do amontoado de bombas que tinha feito, criando uma explosão muito, mas muito grande mesmo. Aos poucos, a bola de fogo criada pela explosão foi ficando cada vez menor até desaparecer por completo. Nina estava extasiada com o tamanho do estrago que havia criado dessa vez. Sem dúvidas, essa foi a maior travessura que ela já havia aprontado.

– IUPIIIII! – gritou, saltitando. – Toma essa, The End!

Liberou rapidamente sua alegria e foi para a borda do pilar, pronta para usar seu arco e suas bombas para atingir qualquer coisa que tentasse chegar perto dos seus amigos.

❑❑❑

Quando já estava bem perto da base do seu pilar, Builder viu de relance um vulto próximo e, por instinto, olhou para a direção onde tinha visto a sombra. Para seu azar, era um enderman, que olhava diretamente para ele no mesmo instante. O herói desviou o olhar rapidamente e empunhou sua espada, esperando um possível ataque do mob. Para sua surpresa, nada tinha acontecido.

Deu uma rápida espiada do lado em que o enderman tinha aparecido e não viu nada. *"Ufa! Ele foi embora"* pensou o herói, aliviado. Começou então sua escalada, empilhando um a um os blocos que havia trazido na mochila. Quando já estava na metade do caminho, algo inusitado aconteceu: o enderman se teletransportou a alguns metros acima dele.

A BATALHA CONTRA ENDER DRAGON

Por um momento, Builder não sabia o que fazer enquanto o monstro caía na sua direção. Como se acordasse de um sonho, construiu rapidamente alguns degraus em um ângulo bem próximo à sua pilha de blocos, saltou para frente e saiu do caminho do enderman, bem a tempo de dar um chute no mob quando ele passou pelo lugar em que Builder estava.

Com o Enderman despencando em direção ao chão, o herói parou alguns momentos para recuperar o fôlego e notou que o cristal de Nina tinha sido desativado e, felizmente, sem que o pilar viesse abaixo. Se a garota se empolgasse mais com a situação, poderia ser soterrada pelos pilares, pois não teria tempo para descer com segurança.

Mais tranquilo, Builder continuou com a sua subida, que não teve mais nenhuma surpresa desagradável. Aparentemente não era fácil para um enderman se teletransportar para onde ele estava e aquele monstro tinha dado muita sorte. Sem olhar para baixo, seguiu em frente, bastante determinado.

❏❏❏

Authentic estava confiante de que desligariam todas as máquinas dos pilares com facilidade. Por curiosidade, tinha lido muito sobre o The End e já havia conversado com anciões em diversos vilarejos por todos os cantos do mundo da superfície durante suas viagens. Mesmo antes de ter sido sequestrado pelos mobs, sabia que mais cedo ou mais tarde ele teria que lidar com o terrível Ender Dragon.

AUTHENTICGAMES

O herói correu em direção à base do pilar mais próximo, evitando qualquer mob que aparecesse no seu caminho. Ao longe, percebeu que Nina já estava se aproximando do topo – eita, que menina animada! – e apertou mais o passo, contente por ter amigos tão fiéis e dedicados para ajudá-lo em sua perigosa missão.

Então, resolveu acelerar ainda mais a escalada: sacou a espada de diamante e uma espada reserva que tinha guardada no fundo da mochila. Com as duas armas, começou a subir, fincando as espadas na parede, escalando bem mais rápido do que com os blocos. Esse jeito era mais perigoso, pois qualquer desequilíbrio poderia ser fatal, mas queria resolver aquilo o mais rápido possível para caso o Ender Dragon percebesse a presença deles e voasse em direção aos heróis.

O problema é que na metade do caminho uma das espadas se quebrou – claro que não a de diamante. Com isso, Authentic voltou a escalar o pilar com as próprias mãos.

Quando estava quase na metade do pilar, escutou o rugido do monstro acima de sua cabeça. Olhando ao redor, viu que Nina já tinha destruído o cristal de energia de seu pilar. Começou a subir com velocidade dobrada, sempre de olho no que o dragão estava fazendo. Ele sabia que o mob era traiçoeiro e poderia atacar a qualquer momento. Authentic estaria pronto para contra-atacar se fosse preciso. Junto com seus amigos, eles eram invencíveis.

10

O DESAFIO FINAL

AUTHENTIC JÁ ESTAVA NO ALTO DO PILAR, ENCARANDO A estrutura brilhante que dava poder ao Ender Dragon. Olhou de novo para o monstro e viu que ele continuava no ar, sem ameaçar nenhum de seus amigos. Viu Nina no alto de seu pilar com o arco empunhado e Builder subindo.

Pronto para desarmar o seu próprio pilar, Authentic empunhou então seu arco e mirou bem no meio da estrutura. Com um tiro certeiro, detonou o cristal. Em seguida, usando os blocos que tinha na mochila, foi construindo uma ponte até o pilar mais próximo. Olhou de novo e viu que Builder acabara de destruir o cristal do pilar em que estava, e agora copiava sua estratégia. Nina estava atenta aos movimentos do Ender Dra-

A BATALHA CONTRA ENDER DRAGON

gon, mantendo sempre seu arco em mãos, dando cobertura aos amigos.

Então, finalmente o Ender Dragon avistou os amigos. O primeiro alvo foi Builder, que já estava na metade do caminho entre um pilar e outro, mas a garota o acertou em cheio com uma poderosa flechada. O bicho urrou de dor, e desviou sua rota antes de atingir o aventureiro. Porém, para se vingar, lançou sobre a garota uma espécie de poção ácida roxa, que foi se espalhando por toda a superfície do pilar.

– Cuidado, Nina! Fique longe da poção e tenha calma, logo ela irá desaparecer! – alertou Authentic, que acompanhava tudo de outro pilar.

– Tá bom!

A menina seguiu as orientações, e logo percebeu que o líquido roxo realmente sumiu. Cada um continuou então suas tarefas e, em pouco tempo, já haviam destruído quase todos os cristais. Agora faltavam apenas dois, que eram protegidos por uma grade de pedra. Por sorte, estes pilares eram um pouco mais baixos.

Authentic chegou primeiro a uma das estruturas, e viu que Builder já descia rumo ao outro pilar que faltava. *Ótimo! Vou destruir isso e atrair o Ender Dragon lá para baixo. Assim Builder ganhará tempo para destruir o cristal do seu pilar!*, pensou o herói.

Sacando uma picareta da mochila, bateu na estrutura de pedra até que abrisse uma passagem grande o suficiente para que ele pudesse apontar o arco e atirar. Logo se ouviu um estouro, e no lugar onde antes estava o cristal agora só havia fumaça e poeira.

❏❏❏

Agora, Authentic teria que lidar com o motivo de toda aquela longa jornada: colocar um ponto final no Ender Dragon, que há tanto tempo estava causando problemas para o mundo da superfície.

Nesse momento, um filme passou na mente de Authentic. Ele se lembrou de todo o pesadelo que viveu desde o sequestro em sua casa, quando foi amarrado e levado para a Torre dos Mobs pelos esqueletos dominados pelo dragão gigante, até os desafios que enfrentou para chegar ao Nether. Só de se lembrar dos guardiões que atacaram o barco de Luci, um calafrio subiu por todo o seu corpo. Ele e seus amigos enfrentaram muitos desafios e tiveram que decifrar inúmeros enigmas para estarem cara a cara com o Ender Dragon.

Authentic também pensou em todos os moradores da Vila Farmer que torciam por eles. O prefeito, Arthur, o ferreiro... Todos contavam com a habilidade do herói em derrotar o maior mob de todos os tempos.

Então, ele sacou sua espada de diamante e encarou o dragão com toda a força que tinha em seu corpo. O monstro logo entendeu o recado, pois deu um rasante em sua direção. Agora era hora do duelo final. Authentic e Ender Dragon se encaravam com fúria, e a batalha começou.

A vantagem de Authentic era que o Ender Dragon adorava anunciar seus ataques com rugidos, então ficava bem mais fácil de desviar deles. O monstro era lento, mas muito perigoso, já que seu alcance era grande e seus ataques poderosos. Não podia vacilar, senão viraria petisco.

Nina ajudava acertando flechadas, que mantinham o bichão confuso, dividido entre acertar quem estava direto na sua frente ou ir atrás do incômodo no alto do outro pilar. O herói olhava para Builder sempre que podia, atento para quando ele conseguisse desativar o cristal, fazendo com que Authentic pudesse atacar o dragão sem piedade.

Num acesso de fúria, o Ender Dragon começou a soltar uma quantidade enorme de poção ácida. Authentic teve que pular atrás de uma das pilhas das pedras de construção dos endermen que, felizmente, pareciam não sofrer com a poção. Nina continuava com seus ataques à distância, mas o monstro parecia não se importar muito, o que era um problema, pois os ataques dedicados ao herói da Vila Farmer estavam aumentando muito rápido. Parecia que Authentic estava encurralado e que o dragão venceria a disputa.

Foi aí que algo diferente aconteceu: logo após um grande BUM, o dragão gritou de dor. Authentic olhou rapidamente para o pilar em que Builder estava e confirmou que ele não funcionava mais. Então pulou para cima do bicho.

A BATALHA CONTRA ENDER DRAGON

O Ender Dragon já estava bem machucado por conta da fúria dos ataques de Authentic e decidiu levantar voo – a distância seria bem-vinda contra um inimigo tão forte como o herói. Bateu suas asas para longe, dando círculos em volta do pilar de Nina, cada vez mais perto da garota.

Authentic começou a subir o pilar em que a garota estava mais rápido do que nunca, usando as próprias mãos. A batida acelerada do seu coração ditava o ritmo da escalada. Ele estava quase alcançando o dragão quando o bicho chegou ao topo e despejou sua poção ácida, que jorrou por cima de todo o pilar.

– Nina! Nãooooo! – Authentic ficou morrendo de medo que algo de ruim pudesse ter acontecido à menina.

O herói subiu no rabo do mob e usou o próprio Ender Dragon para terminar a escalada, aproveitando para fazer alguns cortes no corpo do bicho. Quando chegou à cabeça, conseguiu ver muito bem a superfície do pilar. Não havia sinal de Nina em lugar algum. Uma sensação horrível de desespero tomou conta de Authentic.

Neste momento, o dragão decidiu usar as energias que ainda tinha para derrotar o herói e começou a voar muito rápido, se mexendo bastante, fazendo de tudo para que Authentic caísse. Enquanto voava bem próximo ao pilar, o herói percebeu que era melhor se arriscar do que continuar agarrado ao Ender Dragon, pois ali não conseguia atacar direito o corpo do monstro. Ele então pulou em direção ao topo do pilar, mesmo com um pouco de medo de cair.

AUTHENTICGAMES

O plano deu certo e Authentic conseguiu cair em segurança. Sem perder tempo, ele se levantou em um pulo rápido e voltou o rosto para o dragão, encarando-o com fúria.

– Você acha que pode me assustar, seu passarinho gigante? Nunca mais encoste em nenhum dos meus amigos! IÁÁÁÁÁ! – gritou, se lançando contra a cabeça do dragão e atacando com toda a sua força.

O monstro foi recuando até quase estar fora da borda do pilar quando de repente uma flecha atingiu sua bocona aberta, bem na goela do bicho. Nina ainda estava viva, e pelo jeito muito bem, para poder mirar e atirar uma flecha com tamanha precisão. Authentic respirou aliviado

O dragão bateu as asas duas vezes, engasgado com a flecha presa em sua boca. O herói se virou a tempo suficiente para ver Nina mandar um joinha com a mão e saltar para a borda do pilar, mas enquanto aquele monstro voador estivesse vivo, Authentic não conseguiria prestar atenção em mais nada. Agora, era a hora de derrotar o mob.

O Ender Dragon já estava bastante abatido, quase sem saúde, mas não à toa ele era o pior dos mobs. Mesmo com tantos machucados, o bicho ainda poderia vencer facilmente uma batalha, e estava demonstrando que não desistiria tão cedo de derrotar Authentic. Então, ele voou bem alto no céu escuro do The End, onde era apenas uma bolinha aos olhos do herói da Vila Farmer.

– Ué, será que ele fugiu? – perguntou Nina, sem entender nadinha do que estava acontecendo.

A BATALHA CONTRA ENDER DRAGON

— Espero que não, senão vamos ficar presos ao The End para sempre! Acabar com o Ender Dragon é a nossa única chance de sair daqui e voltar para casa!

Os dois amigos ficaram parados, olhando para o céu, esperando uma resposta do mob malvado. De repente, o dragão começou a voar bem rápido em direção ao pilar, em um ataque feroz. Nina e Authentic ficaram paralisados por um momento, até que ele conseguiu superar o susto.

— Foge, Nina! — o herói gritou.

Nina desceu o pilar craftando blocos na lateral o mais rápido que pôde, bem a tempo de ver o amigo apontar a poderosa espada de diamante para cima.

— Authentic, não! — disse ela, aflita.

Com a rapidez que o Ender Dragon estava se aproximando, ele iria esmagar o herói antes mesmo que a espada pudesse fazer cosquinha no dragão. Então, quando estava bem perto do pilar, o mob lançou uma quantidade enorme de poção roxa, obrigando Authentic a desviar e correr para um monte de pedras para não ser atingido.

O vilão ficou visivelmente exausto com esse ataque e começou a voar lentamente, como quem não tem mais energia para se movimentar com rapidez. Foi aí que Authentic percebeu a chance de brilhar.

Ele começou a correr pela superfície do pilar muito rápido, como se fosse uma brincadeira de pega-pega. O Ender Dragon tentou acompanhá-lo, mas já estava muito cansado, e começou a ficar confuso com a velocidade do herói. Ao perceber que o dragão estava zonzo, Authentic preparou sua arma mais querida para acabar de uma vez por todas com aquela aventura, salvar o mundo da superfície e, principalmente, todos os amigos da Vila Farmer.

Então, se aproveitando de um momento de bobeira do dragão mais malvado do mundo, ele deu o golpe final, acertando o monstro com sua espada de diamante. Com um rugido violento e altíssimo, o Ender Dragon começou a emitir um brilho intenso, ao mesmo tempo em que começava a se desfazer, como se estivesse virando pó, até desaparecer por completo em frente aos heróis.

❏❏❏

Builder já tinha descido do pilar quando Nina e Authentic vieram ao seu encontro. No chão à sua frente, havia surgido um novo portal.

Os três amigos se entreolharam cansados, porém com uma felicidade no olhar. Estava acabado! A superfície estava salva de todos os problemas. Sem Ender Dragon, sem Herobrine. Agora sim, finalmente, os heróis podiam voltar pra casa, para a Vila Farmer.

A BATALHA CONTRA ENDER DRAGON

UFA! QUANTAS AVENTURAS, HEIN! FORAM MUITOS DESAFIOS ATÉ AQUI. E VOCÊ? JÁ PASSOU POR ALGUMA AVENTURA ASSIM OU SONHA EM PASSAR? CONTA AQUI PARA MIM E COMPARTILHA COM A HASHTAG #ABATALHACONTRAENDERDRAGON

EI, MANINHO, O LIVRO AINDA NÃO ACABOU! CONTINUE LENDO PARA VOCÊ DESCOBRIR COMO ESTA HISTÓRIA TERMINA.

11

PAZ NA VILA FARMER

O PORTAL OS LEVOU DIRETAMENTE PARA A PRAÇA CENTRAL da Vila Farmer. Apesar do susto que os moradores levaram com os três amigos aparecendo ali do nada, logo as expressões de espanto se tornaram gritos de comemoração e abraços nos aventureiros, enquanto algumas pessoas corriam para espalhar a boa nova aos demais.

Começou então uma grande festa. As pessoas cantavam e se abraçavam, felizes por saberem que o Ender Dragon havia sido derrotado para sempre, e por terem os heróis de volta. Authentic Nina e Builder foram até carregados pelos moradores da vila, que os levaram desse jeito até o Prefeito, que já os esperava em frente à prefeitura

A BATALHA CONTRA ENDER DRAGON

– Estou muito orgulhoso do que fizeram, e também estamos em dívida com vocês – disse o Prefeito – Por isso, entregarei agora um certificado de Herói da Vila Farmer a cada um, como forma de homenageá-los pelo que realizaram!

EU, O PREFEITO, NOMEIO VOCÊ,
_____,
O MAIS NOVO HERÓI DA VILA FARMER,
PELA SUA CORAGEM PARA DERROTAR
O ENDER DRAGON E POR TRAZER
NOVAMENTE A PAZ PARA ESTE LUGAR.
QUE O SEU NOME SEJA LEMBRADO
POR TODOS OS MORADORES DESTA
VILA PARA SEMPRE!

O Prefeito

Neste momento, foi possível escutar fortes aplausos e diversos gritos vindos da multidão que se reunira no local:

– Vamos comemorar!
– Nossos heróis!
– Adeus, Ender Dragon!
– Viva Authentic! Viva Nina! Viva Builder!

Naquela noite, a Vila Farmer foi o palco da maior festança de que se tem registro naquela região.

❏❏❏

Dois dias depois da festa, Nina já tinha voltado à rotina na padaria do seu pai e andava com a sua cesta pela vila bem cedinho. O sol mal tinha saído direito e ela passava perto do portão principal quando viu Builder andando com a mochila nas costas.

– Ei, Builder! BUIIIIILDEEER! Peraí! – a garota gritou, correndo na sua direção.

– Pra onde você está indo, Builder? Vai visitar o Jorge?

– Não, Nina... eu preciso fazer uma viagem...

– O quê? Como assim, Builder? – ela perguntava, o rosto fazendo uma careta preocupada. – Nós acabamos de voltar!

– Eu sei, maninha... mas é algo que eu preciso fazer. Já falei com o Authentic, ele vai cuidar da minha casa enquanto eu estiver fora.

– Mas... mas... por quê?! A gente passou por tanta coisa, e agora que dá pra aproveitar a paz que conseguimos você vai embora? – Nina disse, chorosa.

– Eu ainda tenho mais uma aventura pela frente, Nina... cuide da vila por mim, tá? Eu prometo que volto – respondeu Builder, dando um abraço forte na amiga e saindo pelo portão da Vila Farmer, sem olhar para trás.

12

VOLUNTÁRIO ESPECIAL

QUINZE DIAS TINHAM SE PASSADO DESDE QUE LUCI HAVIA deixado o trio de heróis na Ilha da Transição. Ela já tinha passado por lá duas vezes, enfrentando sozinha todos os perigos da jornada, como havia prometido que faria até que eles aparecessem novamente pela caverna que dava acesso ao Nether.

As pessoas mais pessimistas do Porto das Lágrimas comentavam que o trio provavelmente tinha falhado em sua missão, pois o Nether era um lugar terrivelmente horripilante e perigoso, mas ela não dava ouvidos. Tinha presenciado em primeira mão a coragem, a habilidade e a confiança dos aventureiros e, mais importante que tudo isso, acreditava neles – especialmente em Builder.

No começo daquela viagem no navio, se divertiu com o jeito que o rapaz ficava nervoso na sua presença. Tinha gostado dele imediatamente; mas, como precisava manter a sua reputação, Luci foi dura, como sempre. A verdade era que sentia algo diferente pelo aventureiro e contava com o seu retorno, nem que ela mesma tivesse que descer até o submundo e resgatá-lo do meio de milhares de mobs.

Sempre que as conversas sobre o trio – que era o assunto do momento – caíam para esse humor pessimista, Luci calava as pessoas próximas apenas com um olhar. Quando os comentários começaram, logo após o seu retorno da ilha, ela defendeu sua opinião de que muito em breve eles retornariam, com a superfície livre da ameaça de uma invasão de monstros. Porém, conforme o tempo passava e nenhuma notícia chegava, mais e mais moradores do porto acreditavam que Authentic, Nina e Builder jamais seriam vistos novamente.

A lanchonete estava mais cheia que o habitual naquela manhã quando Luci abriu a porta – nem o seu lugar cativo estava disponível. Muitas pessoas estavam em pé ao redor das mesas, pela falta de cadeiras e um burburinho muito alto tornava impossível distinguir uma conversa entre as tantas que aconteciam ao mesmo tempo no lugar. A capitã foi até o balcão principal e recebeu vários olhares felizes no caminho, sem entender nada. Foi ficando cada vez mais irritada com a situação, pois o seu nervosismo com o destino dos três novos amigos tomava boa parte dos seus pensamentos e ver outras pessoas contentes por ali era algo um tanto quanto difícil.

A BATALHA CONTRA ENDER DRAGON

Ao chegar no meio do balcão, se virou para o resto da lanchonete e limpou a garganta bem alto.

– A-HAM.

Ninguém prestou atenção, com exceção de dois ou três marinheiros mais próximos, que se viraram para olhar. Luci resolveu ser mais barulhenta que o zunzunzum da lanchonete:

– A-HAAAAAAMM!

O lugar foi ficando silencioso aos poucos, com todos os rostos virados na direção de Luci. Ela devolveu todos os olhares com uma encarada séria, assumindo a postura que sua fama trazia: a de capitã osso-duro-de-roer.

– Partirei amanhã para a Ilha da Transição novamente e preciso de voluntários para a tripulação, que serão bem remunerados – Luci falou.

– Mas Luci... – começou um marinheiro próximo.

– Calma lá, Jonas. Antes que vocês comecem com a lenga-lenga de sempre, eu vou falar. Sei que vocês acham que Authentic e seus amigos não vão voltar, mas eu tenho certeza de que sim, eles vão. Eles são bons. São os melhores.

– Eu sei, mas... – Jonas começou a falar novamente, encolhendo os ombros.

– Aposto que a essa altura já resolveram tudo e devem estar subindo o caminho do submundo até a caverna da ilha neste exato momento – disse Luci, sem querer ouvir desculpinhas. – Eu fiz uma promessa, seus sacos de batata! Quando eles voltarem, eu estarei lá para buscá-los. Entenderam? Não me interessa o que vocês pensam, mas eu não vou desistir!

Várias cabeças assentiram, mas ninguém soltou um pio.

– Então! Preciso de voluntários! Quem vai zarpar comigo amanhã? – Luci perguntou mais uma vez.

– Eu me voluntario! – uma voz respondeu vinda de um dos cantos da lanchonete.

Luci se virou na direção da voz e notou que alguém se movimentava na massa de pessoas agrupadas para ouvir o seu chamado. Era difícil distinguir quem tinha respondido, mas via que era algum tipo de viajante, com uma grande mochila nas costas, que esbarrava em quem lhe dava passagem para que se aproximasse da capitã. Era comum viajantes aparecerem no porto e pegarem alguns trabalhos temporários para pagarem por comida e estadia enquanto não seguissem o seu caminho, mas a capitã não era muito fã desse tipo de voluntário – dava muito trabalho explicar como um navio funcionava, e assim preferia contratar quem já tinha se aventurado pelo mar.

Conforme o viajante chegava mais perto em meio à multidão, Luci foi perdendo a postura de durona, seu rosto relaxando aos poucos. Reconheceu algumas características daquele estranho nem tão estranho assim, e finalmente viu seu rosto. Com um grande sorriso no rosto, a capitã suspirou aliviada. Não precisaria de voluntários, afinal. Builder estava lá.

Os dois se abraçaram e todos na lanchonete começaram a aplaudir. O garçom colocou uma música bem alegre para tocar e de repente o lugar inteiro estava dançando e festejando aquele reencontro tão esperado. Era o fim de uma jornada incrível!

MANINHOS E MANINHAS

O QUE PODEMOS APRENDER COM ESTE LIVRO:

▶ Ouvir e respeitar a opinião dos outros é importante. Nina ficou chateada quando seu plano não foi colocado em ação. Mesmo assim, não podemos achar que nossas ideias sempre são as melhores. Temos que entender que o plano dos outros pode ser o mais certo para o momento.

▶ Não resolva as coisas brigando. Mesmo com o Herobrine provocando os heróis, em nenhum momento eles foram maus com o vilão. Por mais que a pessoa tente te machucar com palavras, não responda da mesma forma. Mantenha a calma e tente resolver tudo conversando.

▶ A união é a alma da amizade. Os três heróis passaram a história inteira se ajudando. Mesmo quando precisaram se separar para destruir as torres, um ficava sempre de olho no outro, tentando proteger os amigos de qualquer perigo. Amizades verdadeiras só são construídas quando um se importa verdadeiramente com o outro.

QUIZ AUTHENTICGAMES

Você sabe tudo sobre a trilogia AuthenticGames? Consegue se lembrar de cada coisa que aconteceu nos três livros? Então responda às perguntas abaixo e confira as suas respostas no verso da página.

1. Em A Batalha da Torre, quais monstros sequestram Authentic e o levam para a Torre dos Mobs?

----

2. Qual é o nome do deserto que Builder atravessou para encontrar Authentic?

----

3. Quem ajudou Builder a fugir das aranhas na Floresta das Agulhas?

----

4. Qual é o nome do golem de ferro que salva Nina e Builder na Torre dos Mobs?

----

5. Para onde o Herobrine levou a espada de diamante do Authentic?

----

6. O que os moradores da Vila Farmer construíram para proteger o lugar dos ataques dos mobs?

----

7. Qual o nome da ilha onde está escondido o portal para o Nether?

AUTHENTICGAMES

8. Qual o nome do gato de Jorge?

----

9. Quais mobs Authentic, Builder, Nina e Luci enfrentam na travessia de barco até o portal para o Nether?

----

10. Qual é o amuleto da sorte de Nina?

----

11. Em A Batalha contra Ender Dragon, quais mobs invadem o salão de espelhos, onde Nina, Authentic e Builder estão?

----

12. O que as bruxas jogam nos heróis para tentar vencê-los?

----

13. Como o trio de heróis vai parar na Cidade do End?

----

14. Quais mobs estavam escondidos na Torre da Cidade do End? E quais estavam no barco?

----

15. Em A Batalha contra Ender Dragon, por que Builder volta para o Porto das Lágrimas?

RESPOSTAS

1. **Esqueletos** / 2. Deserto Quente Pra Valer / 3. Jorge / 4. Groggy / 5. Para o Nether / 6. Um muro gigante / 7. Ilha de Transição / 8. Quindim / 9. Guardiões / 10. Uma colher de pau / 11. Zumbis / 12. Poções venenosas / 13. Herobrine os leva até lá / 14. Shulkers e ghasts / 15. Para encontrar a Luci

MANINHO, NÃO DEIXE DE LER
A TRILOGIA COMPLETA!

Em 2011, quando MARCO TÚLIO publicou seu primeiro vídeo no YouTube, ele nem imaginava o sucesso estrondoso que o seu canal AUTHENTICGAMES faria.

Como todo mineiro – o jovem nasceu em Belo Horizonte, ele foi conquistando o público aos poucos com dicas para quem é fã do universo pixelado de Minecraft. Mas não demorou muito para o canal crescer e tomar a proporção gigantesca que tem hoje: são mais de 19 milhões de inscritos e mais de 8 bilhões de visualizações.

Depois do sucesso do livro AUTHENTICGAMES – VIVENDO UMA VIDA AUTÊNTICA, o novo desafio do youtuber é desbravar o mundo da ficção, e, assim como tudo que já fez, começou muito bem!

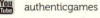 authenticgames

 authenticgames

 authenticgames

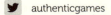 authenticgames

🌐 canalauthenticgames.com.br